D0626339

Club PASSION

Dans la même collection

1. *Tambours battants*, Joan Elliott Pickart.
2. *Katie la Tornade*, Peggy Webb.
3. *Rouge passion*, Sara Orwig.
4. *Jusqu'à la fin des temps*, Iris Johansen.
5. *Tapage nocturne*, Peggy Webb.
6. *Les couleurs du kaléidoscope*, Joan Elliott.
7. *La vengeance d'Eugenia*, Fayrene Preston.
8. *Quinze ans après*, Anne et Ed Kolaczyk.
9. *Une semaine pour gagner*, Sandra Brown.
10. *Amour venu d'ailleurs*, Iris Johansen.
11. *Tango sur le Pacifique*, Joan Elliott Pickart.
12. *La milliardaire*, Peggy Webb.
13. *Hier aux Antilles*, Iris Johansen.
14. *Le naufragé et la sirène*, Sara Orwig.
15. *Les jeunes premiers*, Sandra Brown.
16. *Le retour de Sandrine*, Fayrene Preston.
17. *Jazz d'été*, Peggy Webb.
18. *Hors la loi, hors l'amour*, Joan Elliott Pickart.
19. *Le héros de Katie*, Kathleen Creighton.
20. *Visions de jasmin*, Sara Orwig.
21. *Kismet*, Helen Mittermeyer.
22. *Le souffle du dragon*, Margie Mc Donnall.
23. *Le farfadet*, Joan Elliott Pickart.
24. *Vies privées*, Peggy Webb.
25. *Fantaisie*, Sandra Brown.
26. *Les pandas jumeaux*, Joan Elliott Pickart.
27. *La chanteuse de Budapest*, Iris Johansen.
28. *Nuits blanches*, Sara Orwig.
29. *Le fruit de la passion*, Sandra Brown.
30. *Illusions*, Joan Elliott Pickart.
31. *L'étoile sans nom*, Iris Johansen.
32. *Un duel sans merci*, Doris Parmett.
33. *Le chant des forêts*, Sandra Chastain.
34. *L'été magique*, Joan Elliott Pickart.
35. *Le Prince et le Patriote*, Kathleen Creighton.
36. *Reflets de saphir*, Fayrene Preston
37. *La clé du bonheur*, Joan Elliott Pickart.
38. *Le meilleur des refuges*, Iris Johansen.
39. *Le cœur en péril*, Sara Orwig.
40. *La chute d'Icare*, Sandra Brown
41. *Noëlle en juillet*, Joan Elliott Pickart.
42. *Divine providence*, Mary Kay Mc Comas.
43. *Un ours en peluche*, Joan Elliot Pickart.
44. *Conflit d'intérêt*, Margie Mc Donnell.
45. *Des cieux d'azur*, Iris Jokansen.

JOAN ELLIOTT PICKART

MISS ANNABELLA

PRESSES DE LA CITÉ
PARIS

Titre original :
THE ENCHANTING MISS ANNABELLA

Première édition publiée par Bantam Books, Inc., New York, dans la collection Loveswept ®. Loveswept est une marque déposée de Bantam Books, Inc.

Traduction française de Françoise Roche

ISBN : 2-258-02878-7

Pour Sharon et Lorraine

1

TONY Russell entendit monter de sa gorge un sourd grognement de plaisir. Il s'en rendit vaguement compte. Un sourd grognement de pure félicité... Pourtant, Tony ne fut ni surpris ni gêné de l'avoir poussé.

Qu'elle était belle, cette petite, avec ses lignes superbes! Sous ses mains, elle se montrait infiniment docile, comme si elle avait été conçue pour lui. Elle s'élevait, elle se retournait, elle exécutait tout ce qu'il lui demandait. Si la mort l'avait frappé en cet instant, elle l'eût trouvé le sourire aux lèvres.

Mais Tony ne risquait pas de mourir puisqu'elle était parfaite. Elle l'emmenait planer dans les hauteurs; elle lui donnait tout ce qu'il exigeait sans murmurer, et en retour, il la gratifiait de son expérience et de ses mains caressantes. Elle ronronnait, elle chantait, lui livrant sa fièvre et sa force.

Plus haut, toujours plus haut...

Et puis il redescendit, peu à peu, en se délectant de ces sensations pour ne regagner la réalité qu'à regret.

Tony poussa un soupir de contentement et de reconnaissance à l'égard de ce qu'elle venait de lui procurer.

– Tu es vraiment délicieuse, ma mie. J'aurais bien aimé passer toute la journée là-haut avec toi, ma jolie petite machine volante.

Et le *Cessna* biplace, en gracieuse machine volante qu'il était, atterrit sur la piste avec un choc mou. Tony roula lentement en direction des bâtiments de l'aérodrome, comme s'il voulait retarder le moment où il lui faudrait abandonner le bel avion qui obéissait comme une courtisane sous sa main puissante.

Annabella Abraham ne sentait plus ses doigts tant elle serrait les poings. Pour éviter que son estomac ne se soulève plus longtemps au rythme du petit avion blanc qui s'amusait dans le ciel, la jeune femme avait fermé les yeux. Ses paupières se relevèrent enfin avec prudence et elle inspecta lentement la piste afin de vérifier que la machine avait atterri sans encombre.

– Merci mon Dieu, murmura-t-elle d'une voix émue en ouvrant grand les yeux, rassurée, puis elle acheva: Il est de retour sur le plancher des vaches, cet imbécile!

Annabella Abraham ne savait absolument pas qui était le pilote, ce qui ne l'empêchait pas de le considérer comme un malheureux privé de sa raison. D'après elle, si le Tout-Puissant avait souhaité que l'homme vole, il l'aurait pourvu d'ailes; s'il avait voulu qu'il nage, il n'aurait oublié ni les nageoires ni les ouïes.

– Il faut vraiment manquer de jugeote pour se hisser dans ce genre de boîte d'allumettes et foncer vers la stratosphère sans autre garde-fou que de l'air et un petit nuage ou deux!

Le comble, c'était que cette machine du diable qui s'avançait lentement vers elle lui appartenait. Eh oui, Annabella Abraham était propriétaire de cet avion et n'avait pas idée de l'usage qu'elle en ferait.

L'avion s'arrêta. Un instant plus tard, une petite porte s'ouvrit, une tête en sortit, puis le pilote, un homme très grand, se dressa sur l'aile. Il sauta sur la piste, se reçut avec un gracieux fléchissement des genoux et s'approcha à grandes enjambées.

Tapie à l'ombre de la bâtisse, Annabella examinait avec soin le pilote, ce téméraire sans cervelle qui avait encouru les pires dangers sur cette horreur. Ses longues jambes, nerveuses dans le jean très serré, eurent vite fait de parcourir la piste en béton surchauffé.

Annabella dut réviser quelque peu son jugement: Il n'avait rien d'un fou; il ressemblait même à un homme ordinaire... sauf que... Mais oui! Monsieur-tout-le-monde ne possède pas des épaules aussi carrées et, lorsqu'il se balade en tee-shirt, l'homme de la rue promène sa bedaine et son teint pâle, non pas le ventre plat et le teint merveilleusement hâlé du bellâtre fou d'avions.

Oui, il était très grand, très blond et très bronzé, ce pilote. Tout compte fait, il n'avait rien d'un être ordinaire.

La porte de la baraque en bois chaulé s'ouvrit brutalement et un petit homme tout rond et court sur pattes s'empressa de sortir. Annabella reconnut Barney Chisholm.

– Alors? fit-il. Belle bête, pas vrai, Tony?

« Tony! Je vous le demande... Rien de plus ordinaire comme prénom, reprit Annabella en son for intérieur. Un joli prénom mais sans plus. »

– Je te revaudrai ça, Barney, s'écria Tony-le-pilote en assenant une claque sonore et fraternelle sur l'épaule de son vis-à-vis. Une merveille, cet engin; il me répondait comme une jolie fille consentante.

« On ne s'embête pas, lorsqu'on a de l'imagination! se récria Annabella. Une jolie fille consentante, voyez-vous ça! »

– Je savais que tu serais au septième ciel, mon garçon, voilà pourquoi je t'ai appelé pour que tu viennes faire un tour. Le gars qui a amené l'avion de Tulsa est dans le bureau. Il t'attend pour que tu signes les papiers de décharge, après quoi il repart.

– J'y cours. Mais dis-moi, si j'ai bien compris, cette merveille viendrait d'échoir à une vieille fille qui est bibliothécaire chez nous, à Harmony?

Annabella fulminait. On n'était pas au XVIIe siècle! A vingt-neuf ans, de nos jours, on n'était plus une vieille fille. Elle se considérait elle-même comme une jeune personne qui avait choisi de se dévouer à sa carrière. Oui, une sorte de carriériste, voilà ce qu'elle était!

– C'est un fait, confirma Barney. Miss Annabella a gagné l'avion en participant à la loterie pour l'ouverture d'un supermarché de Tulsa. Drôle d'histoire, tu ne crois pas? Elle devrait être là pour signer mais je ne l'ai pas encore vue.

Annabella émit un petit soupir agacé. C'était toujours la même chose: personne ne semblait jamais la remarquer. Elle avait, sa vie durant, fait partie du décor, en quelque sorte.

– Je m'en vais les signer, ces papiers; ce qui libérera le pilote, fit Tony. Tiens! Qui est-ce? ajouta-t-il après avoir tourné la tête vers l'angle du bâtiment.

Barney l'imita.

– Justement, c'est Miss Annabella. Elle vient certainement d'arriver. Allons-y, que je vous présente. Elle n'est à Harmony que depuis trois ans, et ta dernière visite remonte à plus que ça, mon garçon. Tu t'es fait attendre...

Annabella relevait le menton et s'apprêtait à affronter l'extravagant aviateur nommé Tony, lorsqu'elle le vit, là, juste devant elle. A tel point qu'il lui fallut reculer la tête pour l'avoir en perspective.

Dieu du ciel! le bleu de ses yeux n'avait, lui, rien d'ordinaire. Son visage non plus. Il était beau... Il lui souriait, à elle, l'éternelle potiche!

– Miss Annabella Abraham; Tony Russell. Tony, je te présente notre bibliothécaire et la propriétaire du *Cessna*.

– Enchanté, madame, déclara Tony en lui tendant la main.

La jeune femme promena le regard de son visage à sa main et viceversa. Finalement, comme vaincue, elle répondit à son geste. Aussitôt, les doigts robustes se refermèrent sur ceux, très frêles, de l'arrivante. Cette jeune femme lui fit penser à un petit moineau, avec sa lourde chevelure brune ramenée en chignon très strict, bas sur la nuque, et ses yeux bruns immenses; de plus, elle portait une robe marron assortie à ses souliers. Oui, elle lui rappelait ces petits moineaux qui, s'ils ne sont pas aussi jolis que les oiseaux des îles, sont extrêmement attachants.

– Enchantée, monsieur.

Et elle lui retira sa main.

Mais ce fut comme si elle lui avait retiré la vie tant elle avait la voix grave et douce. Tony avait eu l'impression qu'on lui effleurait le cœur d'un linge de velours, et c'est à regret qu'il prêta l'oreille aux propos de Barney :

– Tony a grandi à Harmony, Miss Annabella. Il y en a fait, du grabuge! Ses parents vivent ici, ils sont retraités. Tony pilote pour une grande société privée, à New York. Il est rentré voir sa famille. Je me rappelle...

– Allez, Barney, finissons-en avec ces papiers. Le pilote de Tulsa doit piaffer d'impatience; quant à Miss Annabella, je suis sûr qu'elle meurt de chaleur, plantée là en plein soleil.

– Oui! Sûr, Tony. Rentrons dans le bureau.

Tony adressa à la bibliothécaire un sourire de

séducteur patenté et, d'un geste ample, il lui désigna galamment la porte. De son côté, Annabella Abraham hocha dignement la tête et le précéda.

« Zut! gémit Tony intérieurement. Cette fois, elle n'a rien dit. » Il aurait tant aimé réentendre cette voix qui dissimulait une sensualité volcanique... quoique encore en sommeil. Tony raffolait des timbres enchanteurs. A tel point qu'il avait déjà la nostalgie de celui de la bibliothécaire.

Quand Miss Abraham eut signé les documents d'une main tremblante, les deux pilotes bavardèrent un moment puis l'homme de Tulsa repartit en voiture avec un ami. Cependant, le téléphone s'était mis à sonner. Barney partit décrocher en protestant qu'on ne le laissait jamais en paix.

Dos au comptoir, chevilles et bras croisés, Tony considérait la jeune femme.

– Il semblerait donc que vous possédiez un avion...

– Apparemment, oui, répondit-elle, puis elle soupira.

Le miracle de sa voix venait de se reproduire. Tony en fut à nouveau extrêmement troublé. A bien la regarder, la jeune femme n'était pas si mal de sa personne, avec son petit nez mutin, ses taches de rousseur et de très belles lèvres. Elle n'était pas maquillée, pas même une touche de rouge à lèvres. Décidément, ce visage lui plaisait. Dommage qu'elle se donne une apparence aussi austère, aussi terne... Mais sa voix riche et sensuelle faisait tout pardonner.

– Qu'avez-vous l'intention de faire de votre *Cessna*?

Elle leva les bras au ciel et gémit :

– Je n'en sais rien. J'ai bien essayé d'expliquer aux responsables de la loterie que je n'en voulais pas : ils ont prétendu que j'étais obligée de l'accepter. Jamais je n'aurais dû participer à ce tirage au sort! Pensez donc! Moi qui n'ai jamais joué au loto de ma vie... Et les sommes qu'il va me falloir débourser pour les impôts!

Envoûté par cette voix qui le suffoquait, qui lui était comme une caresse au creux des reins, Tony voulut poursuivre la conversation, la faire parler encore et encore. Aussi suggéra-t-il :

– Avez-vous songé à prendre des leçons de pilotage pour profiter de ce beau cadeau?

Les yeux de biche s'élargirent davantage et Annabella porta la main à son cœur, pâlissant déjà.

– Mon Dieu non, il n'en est pas question. J'aurais trop peur. Sachez que je ne suis jamais montée dans un avion. A vous regarder effectuer vos figures de voltige et vos loopings, j'en avais mal au ventre. Vous pensez... Monter dans cette machine, ce serait impensable.

Tony se redressa et la saisit aux épaules.

– Voyons, remettez-vous. Vous êtes pâle comme un linge. Je ne faisais qu'émettre une suggestion, n'en parlons plus.

Il aurait bien aimé l'attirer contre lui pour la réconforter, l'aider à oublier cette vision qui l'effrayait et lui promettre que rien ne la blesserait plus dès lors qu'il serait là.

– Ça va?

Annabella ne songeait qu'à ses mains qui lui diffusaient dans le corps une chaleur étrange. Elle se sentait soudain lourde et langoureuse.

– Ça va mieux, Miss?

– Pardon?... Oui, bien sûr.

Elle s'écarta et aussitôt la chaleur bienfaisante lui manqua.

– Je suis terriblement confuse, monsieur Russell. Ma réaction était excessive. C'est que j'ai très peur des avions et cette histoire de loterie m'a semblé pour le moins perturbante.

Il lui sourit.

– Je m'en rends compte, en effet.

– Le deuxième prix me tentait beaucoup: il s'agissait d'un très beau service en porcelaine sur lequel figuraient des violettes. Voilà pourquoi j'ai rempli le bulletin. Quelle bêtise!

– Je regrette moi aussi que vous n'ayez pas gagné ce qui vous tentait.

– Que vais-je faire de cet avion? Il faudra louer le hangar de M. Chisholm et puis payer des impôts...

– Écoutez! Je connais beaucoup d'aviateurs, dans ce pays. Souhaitez-vous que je me renseigne pour savoir si l'un d'entre eux veut acheter votre *Cessna*?

– Vous feriez cela?

– Certainement. Cet appareil n'est pas flambant neuf, voyez-vous. Il s'agit d'un *Cessna 152* fabriqué en 1985, la dernière année où le constructeur a conçu des biplaces. Les gros bonnets de cette chaîne de supermarchés l'utilisaient probablement pour leurs déplacements, après quoi, ils l'ont cédé.

– On a dû me le dire, mais j'étais tellement énervée que je n'ai rien retenu.

– Il n'a pas beaucoup servi, rassurez-vous. D'ailleurs, il répond au doigt et à l'œil. Ceci dit, l'acheteur éventuel risque de vouloir faire baisser les prix, même si l'appareil est en parfait état de fonctionnement.

– Cela me convient; très bien même. Peu m'importe ce que j'en retire, du moment qu'il ne m'appartient plus.

– Dans ce cas, je m'emploierai à le vendre au mieux, Miss Annabella.

– Je vous en serais infiniment reconnaissante, monsieur Russell.

Sur ce, la bibliothécaire lui sourit.

– Oh, là, là, qu'est-ce qui m'arrive...? murmura Tony, ébloui.

Le sang frémit dans ses veines tandis qu'il regardait fixement la jeune femme dont le visage se transfigurait. Des dents régulières et très blanches, une fossette au creux de la joue droite, les yeux soudain pétillants de joie : elle était à croquer. A tel point que Tony se demanda pourquoi il l'avait considérée comme quelconque, au premier abord. Ce sourire enjôleur, doublé de cette voix de séductrice, le bouleversait.

– Comment pourrai-je vous remercier?

Tony se dit qu'il connaissait un moyen très simple, mais il ne voulait ni la choquer, ni lui faire perdre connaissance.

– Je vous en prie, ce n'est rien du tout. D'autant que je ne suis pas certain du succès de l'opération vente.

– Certes, mais sachant que vous vous y efforcerez, je me sens déjà infiniment mieux.

Son langage délicat le fit sourire intérieurement. On eût dit que cette femme ne vivait pas à son époque. Elle avait vécu dans un autre siècle et, après avoir traversé le miroir du temps, elle avait atterri à Harmony, en cette fin de vingtième siècle trépidante et parfois vulgaire. D'ailleurs, ne l'appelait-on pas « Miss Annabella », plutôt qu'Anne ou Annie?

– Je vais devoir vous laisser, déclara-t-elle. Je suis ravie d'avoir fait votre connaissance, monsieur Russell.

– Tony.

– Je vous demande pardon?

– Vous pouvez m'appeler Tony..., Miss Annabella.

– Eh bien, va pour Tony. Mon Dieu! Il faudrait qu'on le place dans le hangar, cet avion. On ne peut tout de même pas l'abandonner sur un coin de la piste.

– Je m'en charge.

– Merci. Encore une fois, merci. Je vous suis si reconnaissante pour votre soutien...

– Vous avez un langage qui sait toucher le cœur d'un homme, Miss. Que ne ferais-je pas pour vous...?

– Vous trouvez? s'étonna-t-elle. Comme c'est gentil! Voilà... Au revoir, monsieur... Tony.

– Mmmoui. A plus tard, Miss Annabella. Mais j'y pense! Laissez-moi votre téléphone et votre adresse, afin que je vous tienne au courant, pour la vente. Vous êtes dans l'annuaire?

– Oui.

– Super. Parfait! Je vous appelle, dans ce cas. Au revoir.

Il la fixa droit dans les yeux, espérant que son cœur s'arrêterait de battre comme un fou.

« De très beaux yeux, vraiment, songeait Annabella, pétrifiée. Ils ont la couleur de son vêtement, celle du ciel où il aime voyager, aussi. »

Et puis, comme il fallait bien se quitter, elle sortit.

Tony se retrouva sur le seuil en deux enjambées. Il la contempla, tandis qu'elle traversait le parking jusqu'à une petite auto grise. Puis il suivit des yeux le véhicule qui laissait dans son sillage une traînée de poussière.

Décidément, cette étrange personne ne correspondait à rien de connu. Il y avait en elle quelque chose de démodé, mais ce n'était pas tout : sa voix suffisait à susciter des images de lit en désordre, ouvert sur deux corps enlacés après des jours et des nuits de passion. Tony imaginait cette créature énigmatique tandis que, nue dans ses bras, elle illuminait sa vie par son sourire enjôleur.

– Tony?

C'était Barney qui sortait de son bureau.

– Figure-toi qu'il leur manque un colis, à ceux qui se sont arrêtés ici, hier. Ils sont dans tous leurs états. Tiens... Miss Annabella est partie?

– Oui. Je lui ai promis de lui garer son avion.
– Mets-le au deux. Le toit du trois fuit.
– Entendu, Barney. Mais dis-moi, cette demoiselle, qui est-ce, au juste?
– La bibliothécaire.
– Tu me l'as déjà dit. D'où vient-elle?
– Tu te souviens de Bessie Montgomery, l'institutrice qui était tellement âgée qu'on prétendait qu'elle avait enseigné ici pendant cent ans?
– Bien sûr.
– Elle est décédée, il y a environ trois ans. Bessie était la tante de Miss Annabella. Elle lui a laissé une petite maison, sur Peach Street. Miss Annabella est venue pour l'enterrement et puis elle est restée. On est drôlement contents de l'avoir, à la bibliothèque. Elle y a fait du beau travail; aussi beau qu'à la bibliothèque de Tulsa. C'est là qu'elle travaillait, avant. J'ai entendu dire qu'elle n'avait jamais quitté l'Oklahoma. M'étonne pas, du reste: elle aurait trop peur de voyager seule. Elle a peur de tout, même de son ombre. Mais je te garantis que tout le monde l'adore.
– Tu ne saurais pas si... si elle a des petits amis, si elle sort un peu?
– Non, pas que je sache. Bah... c'est vrai, on jase au sujet de ce Ralph Newberry, le gars qui passerait une bonne partie de son temps à la bibliothèque, mais je ne crois pas qu'il l'ait invitée à sortir. Il a peur de son ombre, lui aussi. Ils seraient parfaitement bien assortis, ces deux-là, s'esclaffa Barney.
– Tu veux rire? Ralph approche de la cinquantaine!

– Dis donc, ça passe... Miss Annabella a vingt-neuf ans.

– Comment le sais-tu?

– Emily Engels me l'a dit, au loto de la paroisse. C'est elle qui s'occupe du renouvellement des permis de conduire. Elle a vu la date de naissance de Miss Annabella.

– Dis donc... Harmony ne change pas avec le temps : chacun y connaît les affaires de son voisin.

– Ça, c'est bien vrai!

– Je vais garer le *Cessna*, Barney.

– Entendu. Ça m'a fait plaisir de te revoir, Tony. Et pour sûr, tu en connais un rayon, en matière d'avions. Tu les aimes comme une femme : ça me plaît. Allez, le bonjour chez toi!

– Sûr! A bientôt.

Tony se dirigea à pas lents vers le bel avion blanc. Il savait de quoi il parlait, lui qui faisait le tour du monde à bord du jet privé de la Saint-John Enterprise; lui qui avait connu tant de femmes...

Pourtant, malgré sa grande expérience, il en venait à se demander comment on parvenait à séduire une femme réticente, une femme aussi hors du temps que Miss Annabella. Que fallait-il lui dire?

Et d'abord, pourquoi diable le préoccupait-elle à ce point?

En revenant de l'aéroport, Annabella s'arrêta au supermarché. Elle avait gagné l'avion la semaine précédente et la presse régionale l'avait annoncé, si bien que les habitants d'Harmony en avaient été tout excités. Comme elle était timide et rougissante, elle avait réussi, tant chez les commerçants qu'à la bibliothèque, à éviter la foule des curieux qui la laissaient vaquer à ses occupations sans oser l'aborder. L'aide-bibliothécaire – en l'occurrence la vieille Mrs Perdy – se préoccupait davantage de ses feuilletons télévisés que du « Boeing » de la responsable.

Mais à présent que le *Cessna* avait été livré, Annabella se demandait si on n'allait pas la presser de questions. Elle poussa son chariot jusqu'au rayon primeurs. Deux jeunes ménagères y étaient en grande conversation :

– Bonjour, Susie. Ça va, les enfants?

– Voui, tout doux. Tu connais la nouvelle? Tony Russell serait en visite chez ses parents! Quand j'y pense... Au lycée, je manquais m'évanouir chaque fois qu'il passait devant moi, dans le couloir. Toi aussi, tu en avais le béguin, Clara.

Annabella se mit à palper fébrilement tous les fruits de l'étalage pour se donner une contenance.

– Et je n'étais pas la seule. Les filles ne juraient que par lui. Margaret l'a aperçu, hier après-midi. Il est plus beau que jamais, paraît-il. On dirait que l'âge ne le marque pas.

– Il en a de la chance! D'autant qu'il doit avoir près de trente-six ans, fit Susie. Je me demande s'il pense à se remarier.

« Veuf ou divorcé? s'interrogea Annabella en fourrant dans son Caddie une pomme de chaque couleur. Divorcé, sûrement. »

– Je n'en sais rien, rétorqua Clara. Il y a bien neuf ans que Misty est décédée. Si tu veux mon avis, Tony se serait déjà remarié, s'il en avait eu envie. Tu penses... Il vit à New York et quand il n'y est pas, c'est qu'il se promène dans le monde entier à bord de l'avion de la grosse société qui l'emploie. Les jolies filles, ça ne doit pas lui manquer.

« La femme de Tony, morte? Quelle tristesse... »

– Margaret m'a dit qu'il était divinement bien fait, poursuivait Clara. Elle a passé des heures à rêver de lui.

« Dire qu'elles sont mariées et mères de famille! » s'indigna Annabella, choquée que l'on puisse tenir de tels propos dans un lieu public.

– Ça ne fait pas de mal, les fantasmes. Note bien, Clara, que si j'avais épousé Margaret, j'en aurais, moi, des fantasmes de liaisons extra-conjugales!

– De toute façon, j'ai lu dans *Vogue Femme* que ça ne faisait de mal à personne, un bon vieux fantasme.

Annabella se rendit compte qu'elle ne connaissait rien à la femme moderne et à ses préoccupations hautement philosophiques. Ce qui ne la contraria pas vraiment.

– J'espère que je le verrai, moi aussi. J'aimerais bien passer une heure ou deux dans ses bras... en rêve, bien entendu.

– D'accord. La première à qui ça arrive téléphone à l'autre et on se voit l'après-midi pour se faire une petite projection privée dans la tête, tu veux? Mais je bavarde, je bavarde, et Dany m'attend pour aller chez le dentiste. Je te laisse, Susie, tu m'en veux?

– Moi aussi, Clara, j'ai à faire.

Annabella ne bougeait pas. Une pomme à la main, elle regarda les deux épouses méritantes foncer de concert vers les caisses, tantôt baissant la tête pour aller plus vite vers leurs obligations, tantôt la renversant pour rire de leurs plaisanteries salaces.

Bref, Annabella se sentait flouée.

Mais dans le fond, n'avait-elle pas souhaité rester dans l'anonymat? Elle gagna donc à son tour les caisses, puis sa maisonnette en brique pourvue d'une minuscule pelouse, côté rue, et ornée de géraniums splendides. Lorsqu'elle eut rangé ses provisions, elle se fit du thé à la pomme et s'installa sur la chaise à bascule du living, pour siroter son breuvage.

A son tour, elle se mit à rêver de Tony Russell, le blond enchanteur bronzé au sourire ravageur. Dire qu'il avait perdu sa femme... Dire qu'il faisait rêver les midinettes d'Harmony... Encore un peu et elles le déshabillaient verbalement devant elle... Après tout, ces femmes qui n'avaient pas l'air d'être réellement heureuses en ménage ne demandaient que cela.

– Non!

Annabella cessa tout net de se balancer sur sa chaise. Ce problème n'était pas le sien. Si Tony Russell était intervenu dans son existence, c'était à cause de cet affreux avion. De plus, cet homme l'aiderait à retrouver sa paisible routine et tout serait dit. Mieux valait éviter de rêver.

D'ailleurs, sa vie n'était-elle pas parfaitement organisée? Annabella aimait la bonne ville d'Harmony, ses habitants et la petite maison dont elle avait hérité. Son emploi à la bibliothèque, ses activités au club de couture et la réputation qu'elle s'était acquise grâce aux gâteaux qu'elle confectionnait pour les ventes de charité ne lui suffisaient-elles pas?

En tout cas, dans les nombreux livres qu'elle avait lus, elle n'avait jamais appris qu'il était sain, pour une femme, d'avoir des fantasmes...

– Serais-je anormale? Serais-je névrosée, moi qui n'en ai jamais? murmura-t-elle au crépuscule qui tombait sur Harmony. Mais non, je ne suis ni mariée ni mère de famille: je n'en ai donc pas besoin.

Annabella posa sa tasse vide sur la table soigneusement vernie; puis, le menton dans la paume, elle réfléchit tout en imprimant des mouvements réguliers à sa chaise à bascule.

Se laisser embrasser par un homme? Et après, où était le drame? Cela lui était arrivé plusieurs fois, à Tulsa. Rien d'extraordinaire... Il est vrai que ses soupirants étaient loin de lui procurer les mêmes sensations que Tony Russell...

Fallait-il admettre que Tony était particulièrement séduisant? Fallait-il reconnaître que, lorsqu'il la regardait de ses yeux aussi bleus que le ciel, elle se sentait transportée?

Et s'il se penchait sur elle pour l'embrasser

vraiment? Et s'il se décidait à la toucher là où son corps était le plus sensible, le plus lourd...?

– Dieu du ciel! s'écria Annabella, le feu aux joues. Me voilà en plein fantasme, comme elles!

Plutôt que de se rendre à son imagination enfiévrée, elle se leva et gagna la cuisine où elle fit la vaisselle. Cela la calma, d'avoir les mains dans l'eau tiède. Après quoi elle monterait dans sa chambre toute blanche qui la rendrait à sa pureté éternelle.

Mais une fois là-haut, peine perdue! Le démon de l'amour la pourchassait. Le miroir lui renvoya l'image d'une jeune femme aux longues jambes, aux hanches minces, certes, mais aussi à la poitrine bien trop forte pour être celle d'une créature séduisante. De plus, ses vêtements trop lâches ne la flattaient pas, non plus que les couleurs ternes qu'elle se choisissait comme pour le faire exprès. Si ses souliers solides s'avéraient utiles à la bibliothèque, ils n'avaient rien pour attirer un homme.

– Et puis, quel est l'intérêt? gémit-elle, avant de libérer sa magnifique chevelure qui, elle, lui avait attiré des compliments.

Pourtant, rares étaient ceux qui l'avaient vue dans toute sa splendeur...

2

TONY était installé sous le porche pourvu d'une moustiquaire, chez ses parents et, dans la nuit d'été, il regardait danser les lucioles. Durant l'après-midi, il avait aidé son père à déraciner un vieux tronc d'arbre au jardin et il se sentait envahi d'une agréable fatigue. Il était assis sur la vieille balançoire accrochée par des chaînes à la toiture et la poussait d'avant en arrière du bout du pied. Mike Russell, son père, avait pris place sur un siège à dossier inclinable; la bonne odeur de son tabac favori montait de sa pipe.

Les souvenirs de sa jeunesse, qu'il avait passée dans cette maison avec ses parents et ses sœurs, envahissaient Tony. Il était heureux d'être rentré au bercail. Il commençait même à se détendre, à atterrir car, maintenant qu'il pilotait constamment l'avion particulier de Saint-John Enterprise, sa vie n'était qu'une course effrénée. Il aimait son travail, ses employeurs et surtout il aimait voler. Pourtant, il trouvait bon d'être rentré chez lui.

Mary Russell les rejoignit sous le porche avec

un plateau sur lequel elle avait placé trois grands verres de limonade.

– Merci, maman, fit Tony en en prenant un. Justement, je me laissais glisser au fil des souvenirs et je me disais que ce qui manquait, c'était la limonade que tu prépares avec les citrons du jardin. Délicieuse..., conclut-il après en avoir avalé une gorgée.

Mary tendit un verre à son époux et s'assit sur une chaise rembourrée.

– C'est bon de t'avoir à la maison, Tony. De fait, ta présence réveille les délicieux souvenirs d'étés passés ici même, tu ne trouves pas?

Mike Russell émit un petit rire.

– Cela dépend jusqu'où tu remontes le passé. Si tu évoques la période où nos trois enfants étaient encore là, tu dois entendre les filles brailler contre Tony qui les empêchait de se préparer tranquillement pour leur rendez-vous. Elles le menaçaient de le noyer dans la baignoire s'il racontait quoi que ce soit à leur petit ami du moment...

– Les filles étaient toujours sur mon dos. On n'aurait rêvé petit frère plus gentil; pourtant, elles ne m'ont jamais apprécié à ma juste valeur.

– Je dois reconnaître que tu étais du genre encombrant! le taquina gentiment Mary.

– Je mettais de l'ambiance, pour que la maisonnée ne s'endorme pas, maman.

– Voilà qui est bien vrai, commenta Mike.

– En tout cas, je le répète : nous sommes heureux de t'avoir. Je sais bien que nous avons passé les Noël précédents tous ensemble chez tes sœurs, à Detroit ou Miami, mais il y avait longtemps qu'on ne t'avait pas eu à la maison; que tu n'avais pas dormi dans ton lit et que je n'avais pas eu la joie de te gaver de nourriture saine.

– Ta fameuse limonade, entre autres... J'avais réellement besoin d'un congé. Je m'en suis rendu compte quand je suis descendu de l'avion des Saint-John : on était à Paris et je n'arrivais même plus à savoir où je me trouvais.

– Tsst, tsst! Tu travailles trop dur.

– Pas plus qu'un autre. Je me souviens que papa rentrait du garage complètement épuisé. Ça te manque, papa?

– Le garage? Non. J'étais mûr pour la retraite. J'y retourne de temps à autre et on me demande de détecter les pannes compliquées ou de changer les bougies des moteurs. Ça me suffit. Ce qui me fait penser... Le *Cessna* que Miss Annabella a gagné doit avoir un moteur du tonnerre...

De la main, Tony imita un engin qui tombe en piqué.

– Une vraie merveille. L'appareil me répondait comme une femme..., comme un avion docile, rectifia-t-il après avoir jeté un coup d'œil à sa mère.

Mike gloussa tandis que son fils lui adressait furtivement un sourire.

Sans relever cette plaisanterie d'hommes, Mary poursuivit :

– Quand on pense que Miss Annabella est propriétaire d'un avion! La chère petite doit être dans tous ses états.

– Elle n'est pas contente du tout, elle qui souhaitait gagner le service en porcelaine avec motifs de violettes!

– Ça lui ressemble bien, fit Mike. Elle me fait parfois penser à une petite souris timide.

« Ou à un petit moineau qui a peur de déployer ses ailes et de vivre », songea Tony, qui se trouva l'âme bien poétique. Il déclara tout haut :

– Je lui ai dit que je ferais le tour de mes connaissances pour voir si l'un d'entre eux ne souhaitait pas l'acheter. Ce qui a eu l'air de la rassurer.

– Voilà qui est très délicat de ta part, Tony.

– On verra ce qu'on peut faire. Mais pourquoi les gens l'appellent-ils tous « Miss Annabella », vous compris? Ça me semble un peu vieux jeu, pour une jeune fille de vingt-neuf ans.

– Je n'avais jamais réfléchi à la question, intervint Mike. On le fait tous parce que ce nom paraît lui aller. Miss Annabella ne ressemble pas aux autres jeunes de la région. Elle est... Je ne sais pas...

– Elle est raffinée, posée, si bien qu'en sa présence, on se sent empli de respect, ajouta Mary.

Tony se fit la réflexion qu'avec un rire pareil, un sourire aussi charmeur, on pouvait la trouver très sensuelle. Oui, sensuelle serait plus approprié que respectable.

– M'est avis qu'elle cache bien son jeu.

– Comment cela?

– Je ne saurais préciser, mais... Eh bien, quand elle sourit, ça lui creuse une fossette dans la joue;

et ce sourire est irrésistible. D'ailleurs, l'avez-vous jamais écoutée rire? C'est d'un sensuel... Excuse-moi, maman.

– Sensuel? s'étonna Mary qui pencha son buste en avant. Miss Annabella, une voix sensuelle?

– Que oui, insista Tony en s'agitant sur sa balançoire. Elle a la voix grave et légèrement enrouée. Mais... changeons de sujet, voulez-vous? Maman, les mères ne sont pas censées participer à ce genre de conversation.

– Précisément! Si j'ignorais tout de ces choses, je ne serais pas mère!

Mike ne pouvait plus retenir son rire.

– Parlons d'autre chose, bon sang! grogna Tony.

Mary Russell se renfonça dans ses coussins.

– Miss Annabella participe à notre club de couture. Elle n'ouvre pas souvent la bouche, mais il est vrai que nous sommes toutes beaucoup plus âgées qu'elle. Elle coud fort bien. Tu sais, j'ai toujours pensé qu'elle serait beaucoup plus jolie, si elle s'y mettait un peu. Je ne suis pas moi-même du type à me pomponner à outrance, mais Miss Annabella ne devrait pas adopter une apparence aussi terne. Je ne l'ai jamais vue que portant des couleurs sombres. Il lui faudrait se mettre des couleurs gaies et se maquiller un tout petit peu.

Mike déclara :

– Elle aurait besoin d'un homme.

– Quoi? s'écria Tony en tournant brusquement la tête.

– Parole. Miss Annabella aurait bien besoin

d'un homme, dans sa vie, précisa Mike en tirant sur sa pipe.

– C'est une idée..., approuva Mary en hochant la tête.

– Pas de ce Ralph Newberry, bonne mère! Oh! pardon, maman. Bon sang, ce Newberry est trop vieux pour elle. Excuse-moi, maman. C'est un nul, ce type... Pardon.

– Mais enfin, Tony, si tu en as envie, tu peux jurer; mais je t'en prie, ne me demande pas pardon toutes les trente secondes!

– Est-ce bien ma propre mère qui tient ces propos? On me l'a changée, dans ce cas.

Cela fit rire Mme Russell.

– Tu ne crois pas que je vais te mettre au piquet chaque fois que tu as des paroles un peu vives, mon chéri!

Donc, tu estimes que Ralph Newberry ne convient pas à Miss Annabella...

– Non. Il est terne comme un jour sans pain. Il lui faudrait un homme qui lui apprenne la vie, l'amour; qui la fasse rire et montrer plus souvent ses jolies dents et cette ravissante fossette...

Voyant que ses parents le dévisageaient très attentivement, il déclara:

– En fait, ce ne sont pas mes affaires.

Sa mère sourit tandis que son père envoyait des nuages de fumée alentour.

– Et puis zut, à la fin, conclut-il.

Naturellement, il avait encore trop parlé. Mais il avait des excuses puisque Miss Annabella lui avait tourné dans la tête durant tout l'après-midi.

Sans cesse il revoyait son sourire, il croyait entendre sa voix frémissante et deviner la lueur malicieuse au fond des yeux qui lui apparaissaient à l'improviste. Et lorsqu'elle était là, tout entière, dans son imagination, Tony se prenait à la désirer si follement qu'il en avait des sueurs froides.

Ah! la, là... C'était à n'y rien comprendre. Pourquoi ce petit moineau de femme l'obsédait-il à ce point? Pourquoi lui asticotait-elle les sens, cette Miss Annabella? Parce qu'enfin, il fallait l'admettre, cette femme n'était pas son genre. Rien à voir avec les jolies filles qu'il fréquentait ordinairement. La vérité, c'est qu'elle l'intriguait, qu'il lui trouvait quelque chose de bizarre, d'aussi mystérieux qu'un paquet déposé au pied du sapin, à Noël. Et plus on attend pour l'ouvrir, plus il vous fascine...

– Ahem! La soirée est belle, en tout cas, fit-il pour se sortir de ses rêveries et donner le change à ses parents.

Mais personne ne s'y trompa: les lèvres de Mike se retroussèrent sur un sourire plein de malice. Tony lui adressa un regard noir.

– J'entends sonner le téléphone, fit Mary en sautant sur ses pieds. Ce doit être Esther Sue qui m'appelle au sujet de la vente de gâteaux au profit des œuvres de la paroisse. Miss Annabella confectionne de merveilleux biscuits pour le thé et son pain est un rêve.

Le silence retomba sous le porche, laissant monter les bruits de l'été: les courtilières lançaient leurs stridulations monotones, une chouette poussa un doux hululement tandis que les crapeaux digéraient. La balançoire grinçait sous les poussées de Tony.

– Je ne plaisantais pas quand j'ai dit que Miss Annabella avait besoin d'un homme dans sa vie, commença Mike en posant sa pipe éteinte dans le cendrier.

Tony haussa les épaules sans broncher.

– Mais oublions-la un instant, tu veux, mon garçon? Pensons plutôt à toi. Il te faudrait une épouse et une famille. Durant ton mariage avec Misty, tu étais heureux; tu es fait pour être un époux et un père. D'ailleurs, il n'y a que très peu d'hommes qui arrivent à vivre sans la douce présence d'une femme, de leur épouse à leur côté. Nous autres, les hommes, avons besoin de ce qu'elles ont à nous offrir. Et je ne parle pas seulement du lit mais de leur sagesse, de leur façon de prendre la vie. Ce sont des êtres remarquables. Je ne supporterais que très mal l'existence, s'il n'y avait pas ta mère. Tu es resté seul trop longtemps, Tony. Est-ce parce que tu souffres toujours de la perte de Misty?

– Non, papa. Après sa mort, ça m'a été très dur. Pourtant, je savais que je ne pouvais l'empêcher et que tout ce qui était à faire, je l'avais fait. Elle était en pleine santé, elle rayonnait et tout à coup, du jour au lendemain, la voilà terriblement malade. Tout s'est passé si vite...

– Dans un sens, c'était mieux ainsi.

– Je sais bien mais...

Tony immobilisa la balançoire et, les pieds par terre, les coudes sur les genoux, il se tapota le bout des doigts.

– Je n'en ai jamais parlé à personne, papa, mais c'est comme si j'avais perdu Misty deux fois.

– Que veux-tu dire, mon garçon...?

– La mort me l'avait certes arrachée, mais elle était toujours proche dans mon souvenir, je faisais en sorte qu'elle y reste présente. Et puis... Et puis environ deux ans après son décès, j'ai commencé à avoir du mal à me souvenir de ce à quoi ressemblait son sourire, son rire; je ne savais plus quelles étaient ses couleurs favorites, ni ses mets préférés. Si tu savais combien j'ai culpabilisé, d'autant plus que je ne pouvais rien contre cet oubli progressif.

– Le temps était venu pour toi de guérir, de te préparer à aller de l'avant, l'esprit et le cœur prêts à aimer de nouveau. As-tu peur d'aimer, fils? Aurais-tu peur de subir à nouveau une perte similaire?

– Ces craintes sont peut-être enfouies en moi, tout au fond. Et je n'en ai pas conscience. Je concentre mon énergie sur mon travail depuis que j'ai été embauché par Saint-John Enterprise, il y a quelques années: je suis responsable des pilotes, je suis vingt-quatre heures sur vingt-quatre à la disposition de la famille et la plupart des vols outre-mer, c'est moi qui m'en charge. Ce ne sont pas les femmes qui manquent à la ronde, si j'en ai envie, mais ma vie, c'est l'avion.

– Cela te suffit?

– J'adore piloter. On ne peut pas expliquer le

bonheur qu'il y a à sentir l'énorme puissance d'un avion vous emporter au paradis, et ce sur un simple geste. C'est inimaginable.

– Je n'en doute pas, Tony. Mais est-ce suffisant? Je sais que tu es venu passer tes vacances ici parce que tu étais fatigué; ne serait-ce pas aussi que tu es seul?

Tony releva très vite la tête et il jeta un coup d'œil à son père.

– Réfléchis, Tony. Médite mes paroles; fais ça pour ton vieux père, tu veux?

Tony l'observa un moment, l'air songeur, puis il hocha la tête.

– Oui, j'y réfléchirai.

– Merci. Bon, je crois que je vais aller me coucher. Mes vieux os n'en peuvent plus d'avoir creusé pour déraciner ce tronc. Bonne nuit, Tony.

– Dors bien, papa.

– Mike? Tu montes te coucher? lui demanda Mary, revenue sous le porche. Attends-moi, je t'accompagne. Tu n'oublieras pas de fermer la maison, quand tu rentreras, Tony?

– Je n'oublierai pas, maman. Bonne nuit.

– Bonne nuit, mon enfant. Mike, ce que tu as l'air fatigué... Tu vas t'endormir tout de suite... et en profiter pour ronfler comme un ours qui hiberne.

– Moi, ronfler? Allons donc!

– Tu sais bien que tu ronfles! Mais c'est une douce musique, à mes oreilles. Ça me sert de berceuse.

Tout attendri, Tony suivit des yeux Mary et

Mike qui s'éloignaient, au bras l'un de l'autre. Il avait des parents extraordinaires qui s'entendaient merveilleusement bien. On les eût dit encore plus amoureux maintenant que lorsqu'ils s'étaient lancés dans la vie de couple. Ils s'étaient battus côte à côte, durant les années de vaches maigres; ils avaient élevé trois beaux enfants pleins de vitalité; et maintenant qu'ils étaient à nouveau seuls ensemble, leurs vies s'étaient imbriquées, liées l'une à l'autre par un amour inébranlable. Leur union était belle à voir.

Dans la cuisine, la lumière s'éteignit, plongeant le porche sous une chape d'ombre. Au firmament, les étoiles clignotaient, contemplant les petites bêtes nocturnes qui vaquaient à leurs occupations. La balançoire reprit son lent mouvement d'avant en arrière.

Les paroles de son père le tourmentaient, le forçaient à chercher tout au fond de lui une réponse à cette question qu'il ne s'était jamais posée: était-il seul?

Au même instant, un banc de nuages cacha la lune dont le halo argenté disparut. Tony eut l'étrange impression qu'on venait de le couper du monde pour le précipiter dans un abîme de ténèbres dont on ne le laisserait s'échapper que lorsqu'il aurait trouvé une réponse.

Sa vie se mit à défiler devant ses yeux: il y eut les jours et il y eut les nuits; il y eut les femmes, les soirées folles, l'étranger et ses griseries exotiques. Et il se vit, lui, retranché au bord de ces choses qu'il regardait sans y participer. Et là, dans la nuit, assis sur cette balançoire sur laquelle il s'était amusé des heures, étant enfant, Tony Russell comprit qu'il était très seul.

Et Miss Annabella Abraham, se sentait-elle seule, elle aussi?

L'homme se leva et s'avança vers les montants du porche sur lesquels il appuya les paumes. On eût dit que des liens invisibles et infiniment solides le rattachaient déjà à son petit moineau. Avec elle, il avait une mission à accomplir : soit Miss Annabella lui révélerait l'art d'être heureux tout seul; soit ce serait à lui de montrer à la jeune femme que la vie était plus riche et qu'elle aussi, elle avait un vide à combler. Étrange mission, en vérité... D'autant qu'il ne savait même pas comment lui parler, et à plus forte raison deviner ce qu'elle pensait ou ressentait...

Annabella était en train de se réveiller, ce jour-là, elle savourait d'autant plus ces instants qu'elle n'avait pas à se rendre à la bibliothèque, puisque on était dimanche. Elle glissait son petit pied sur le sol lorsqu'elle le rentra prestement sous le drap.

Miss Annabella venait en effet d'être prise de remords. Durant la nuit, elle avait accompli un forfait horrible, épouvantable; un crime dont jamais elle ne se remettrait. Et tout cela à cause de ces deux impudentes du supermarché!

Oui : Miss Annabella avait passé la nuit à déshabiller Tony Russell! Soit, que celles qui l'osent lui jettent la première pierre. Ce ne seraient en tout cas ni Clara ni Susie! Ce ne serait peut-être personne, après tout, puisque en réalité, l'opération s'était avérée assez difficile.

On n'avait pas cessé de l'interrompre. A peine tendait-elle les mains vers le col de chemise de M. Russell qu'une pile de livres semblait tomber du plafond sur son bureau pour séparer le bourreau de sa victime. Annabella revenait à l'attaque, se pourléchant déjà les babines à l'idée qu'elle allait sentir frémir sous ses doigts la peau hâlée de l'athlète... Et patatras! voilà-t-il pas que ces deux mémères de Susie et Clara étaient intervenues, poussant comme deux perdues leur chariot entre Annabella et sa proie. A la troisième tentative, c'était ce vieux pruneau de Ralph Newberry qui avait demandé un mouchoir en papier de sa voix perpétuellement humide! Enfin, la mort dans l'âme, la jeune bibliothécaire avait fini par renoncer à ce déshabillage salace lorsque Esther Sue était venue lui réclamer les biscuits et le pain promis pour la vente de charité.

Tony avait haussé les épaules, l'air désolé. Il avait tapoté le verre de sa montre en lui expliquant qu'il avait encore à effectuer deux fois le tour du monde dans le *Cessna* qu'elle venait de gagner. La laissant là avec son désir, il s'était envolé dans un brouillard épais avant qu'elle ait eu seulement le temps de lui déboutonner sa chemise.

– Quelle gourde! Tu n'as même pas été capable de le voir torse nu! fulmina-t-elle. Mais tu n'as pas honte, Annabella, ma mignonne, de remuer des pensées aussi lubriques juste avant de te rendre au temple? Allez! Trève de bouderies et de rêves sales! On se lève, on se couche. Non, pas de bain, ce matin : tu es déjà bien assez ramollie comme ça! Une douche... froide... Non, tout de même, tiède... Une tasse de thé, sans sucre... Sans sucre, vraiment? Bon, d'accord, mais un demi, pas plus.

Devisant à mi-voix avec elle-même, comme pas mal de personnes seules, Annabella prit une douche... bien chaude, elle s'enduisit de gel un tout petit peu trop langoureusement au gré de sa sévère conscience, mais comme celle-ci ne voyait plus rien, à cause de la buée... Bref, Annabella se pomponna. A tel point qu'elle renonça même à son petit chignon tout étriqué qui lui pendait comme une grosse pomme de terre sur la nuque. Au lieu de cela – quel sacrilège! – elle tordit sa somptueuse chevelure et l'attacha en huit derrière la tête. Elle tira quelques mèches et s'encadra le minois d'accroche-cœurs.

Sa mise resta néanmoins conventionnelle : robe de soie grise avec ceinture à la taille, et escarpins extra-plats. Elle avala son thé à la pomme, un toast, une pêche légèrement talée et hop! elle saisit son sac à la volée et sortit.

Dans l'allée, toutefois, son regard fut attiré par la rangée de géraniums flamboyants. Elle en cueillit un qu'elle s'épingla sur le sein gauche.

Sans le savoir, Miss Annabella était en marche vers une transformation qui allait être décisive. Un changement qui risquait de la perdre...

Tony pénétra dans le temple en compagnie de ses parents. Il savait que le pasteur Peterson ne manquerait pas de régaler l'assemblée des fidèles de ses sermons terrifiants : aussi se promit-il de ne pas quitter des yeux le doux sourire qu'afficherait sans doute sa mère.

Le lieu du culte était bondé. Depuis l'allée centrale, Tony regarda par-dessus les têtes pour trouver des places.

C'est alors qu'il la vit : Annabella se glissait en effet au cinquième rang.

– Viens, enjoignit-il à sa mère qu'il prit par le bras. Il y a de la place, devant.

– Il y en a ici aussi, répondit Mary en lui désignant le banc tout proche.

– Je ne voudrais perdre pour rien au monde une seule miette du sermon apocalyptique qui nous attend, insista Tony.

– Pourquoi? Le pasteur a invité un conférencier, aujourd'hui? s'étonna Mike.

– Chut..., Mike, chuchota Mary, qui se mit aussitôt à suffoquer car son fils, qui l'avait brusquement prise par la main, l'entraînait à toute vitesse vers le chœur.

Mike fronça les sourcils et puis, après avoir jeté un coup d'œil dans cette direction, il se dérida et suivit son épouse et son fils d'un pas nonchalant. Tony se glissa au cinquième rang où il s'assit. Dès que sa mère se fut installée à côté de lui, il lui tapota gentiment la main. Puis, lentement, il tourna la tête.

– Ça par exemple! Miss Annabella, fit-il d'une

voix étouffée, un sourire éclatant aux lèvres. C'est amusant de vous retrouver ici. Bonjour.

Il lui sembla qu'en elle quelque chose avait changé; elle avait l'air plus douce, plus féminine. Ses cheveux..., elle ne se les était pas tirés de façon aussi sévère et les avait remontés. Quelle jolie gorge elle avait! Un long cou gracile, couleur d'ivoire, une peau satinée, aussi. Cette robe grise, terne, c'était dommage, mais elle y avait accroché une fleur rouge. Bonne idée! Tony se demanda pourquoi elle fixait sans arrêt le col de sa chemise plutôt que de le regarder en face.

– Mon col est déboutonné?

Annabella se hâta de relever les yeux.

– Non, dit-elle d'une voix plus aiguë qu'à l'ordinaire. Tous les boutons sont attachés, je vous l'assure.

Elle sentait ses joues s'empourprer. Pourquoi était-il venu s'installer à côté d'elle, ce beau garçon aujourd'hui vêtu d'un pantalon de toile noire et d'une chemise bouton d'or? Jamais Annabella n'aurait cru qu'il suffisait de rêver que l'on déshabillait un homme et que l'on se laissait embrasser voracement par cette bouche ferme pour que la personne apparaisse à côté de soi, le lendemain. C'était tellement troublant qu'elle aurait voulu disparaître.

– Qu'est-ce qui vous arrive, Miss Annabella? lui demanda Tony. Vous étiez toute rose et soudain vous voilà très pâle.

– Rien du tout. Ce n'est rien.

– Ah! J'aime mieux ça.

« Cette voix... Et dans un lieu de culte... C'est diabolique, comme tentation », gémit Tony qui sentit le feu du désir lui brûler les flancs. A ce moment-là, l'harmonium entonna un psaume et Tony jeta un coup d'œil aux numéros des chants inscrits sur un panneau. Il prit trois psautiers au bout du rang, en tendit un à son père, et un autre à sa mère.

– Nous allons partager, annonça-t-il à sa compagne, l'air tout joyeux.

Les fidèles se levèrent tandis que Tony cherchait sa page à toute vitesse.

– *Allons, Soldats du Christ*... Mon chant préféré! et il tendit le recueil à Annabella.

L'harmonium s'arrêta. Puis il repartit. En entendant Tony entonner le chant d'une voix retentissante autant que fausse, Annabella sursauta. Ses doigts se crispèrent sur le livret tandis qu'elle levait vers lui des yeux effarés. Tête haute, bouche grande ouverte pour mieux donner toute sa puissance, Tony chantait de tout son cœur.

Bien qu'elle fut placée devant et donc au vu de tous, Annabella Abraham se mit à rire. Il était trop drôle, le grand, le beau, l'admirable Tony Russell. Lui qui fréquentait les gens chics, qui vivait à New York; lui que les honnêtes ménagères et les bibliothécaires non moins honnêtes s'empressaient d'utiliser dans leurs fantasmes, il chantait si faux qu'il en aurait fait brailler un jardin d'enfants entier. On eût dit un taureau blessé.

Mais dans le cadre de ce temple tout ce qu'il y avait de sage, cela paraissait incongru. Et Annabella en riait aux larmes.

Toujours aussi digne, Tony daigna lui jeter un regard furtif; mais lorsqu'il la vit, hilare, se presser la main sur la bouche, il crut suffoquer. Ses yeux avaient l'éclat du diamant pur et ses épaules frémissaient. Elle croisa son regard et, pour essayer de réprimer cet excès de bonne humeur, elle leva les yeux au plafond dépourvu de tout ornement.

– Qu'est-ce qui vous arrive? lui chuchota Tony à l'oreille.

Redoublant d'hilarité, elle secoua la tête pour lui signifier qu'il lui était impossible de répondre. Tony fronça les sourcils, songeur.

– C'est ma façon de chanter, lâcha-t-il, les dents serrées. Vous n'aimez pas ma voix. C'est de moi, donc, que vous riez, Annabella!

La tête brune s'agita frénétiquement de haut en bas.

Tony partit alors d'un rire sonore, ce qui lui valut un coup de coude de la part de sa mère.

– Écoute, maman, ma façon de chanter fait rire Miss Annabella aux larmes.

Mike, en philosophe, conclut :

– C'est une personne qui a du goût.

Mary pencha discrètement le buste et lança à voix basse à Annabella :

– Je sais que c'est un supplice, ma chère, mais comme il n'est pas là souvent, nous ne le lui avons jamais fait remarquer. Nous endurons en silence.

– Merci quand même, fit Tony, un peu piqué, cette fois. Je ne m'attendais pas à des insultes!

– Aaaamen! exhalèrent les fidèles.

Et on se rassit. Tony regardait droit devant. Annabella reprit son souffle et se croisa sagement les mains sur les genoux. Le pasteur Peterson souhaita la bienvenue à ses ouailles et il lut les annonces de la semaine, notamment celle qui concernait la vente de gâteaux. Tony tourna légèrement la tête, tandis qu'au même instant, Annabella lui lançait un coup d'œil à la dérobée.

Ils se sourirent, complices.

Ce fut un instant délicieux, chargé de paix et de communion. Ils semblaient se dire « Ça ne se fait pas dans un temple, mais qu'est-ce qu'on a ri! » Le temps s'arrêta; leur sourire s'estompa, certes, mais ils ne parvenaient pas à se quitter des yeux. Ils étaient ailleurs et ensemble.

Le cœur de Tony cogna comme un forcené dans sa poitrine.

Annabella sentit un drôle de picotement lui chatouiller les reins.

Il fallut que les fidèles se lèvent en chœur pour qu'ils redescendent sur terre. Ils battirent des paupières et se levèrent en hâte.

La délicieuse Miss Annabella était décidément une magicienne, songea Tony. Ses yeux dansaient de joie, lorsqu'elle riait; de plus, elle avait ce je-ne-sais-quoi qui lui figeait le cœur. Décidément, cette jeune femme si tranquille, c'était tout un programme...

« Rire en plein service! Et devant tout le monde, de surcroît! se grondait Annabella au même instant. Et puis... lorsqu'il me regarde, lorsque ses beaux yeux attentifs se posent sur moi, je ne sais pas... je ne sais plus. Je crois que j'ai à la fois chaud et froid. C'est très peu convenable et très agréable ».

La voix du pasteur retentit :

– Prions ensemble, mes frères...

« Voilà une bonne idée, se dit Annabella qui était dans un étrange état d'excitation. Une bonne petite prière, cela ne manquera pas de me calmer. »

3

LE service se poursuivit mais Annabella était ailleurs, dans un univers de sensualité.

Lorsque la jambe de Tony l'effleurait, elle en percevait la chaleur jusqu'au vertige. En bouffées légères, l'odeur de son eau de toilette boisée lui montait à la tête. Du coin de l'œil, elle voyait ce grand corps aux muscles tendus sous le pantalon. Sa voix riche scandait les prières et son chant ne la faisait plus ricaner nerveusement.

Elle prit conscience de sa féminité, fragile en comparaison de cet homme si viril, si rude et si fort. Son buste en devenait lourd d'attente. Elle contempla un instant les mains solides de son compagnon et eut envie qu'il la touche, qu'il prenne possession de ses rondeurs délicates afin de les rendre plus vivantes encore. Son cœur palpitait dans sa poitrine, ses joues étaient toutes chaudes. Elle eut envie de goûter, de se repaître de ses lèvres bien dessinées qui devaient savoir emporter une femme au paradis.

– Allons-y, dit-il tout à coup en se dressant.

Annabella l'imita sans réfléchir. Une fois

debout, elle cligna des yeux et revint à elle. Ce fut comme si la créature affolée de désir rejoignait la petite bibliothécaire un peu trop sévère.

– Où donc? balbutia-t-elle, la voix mal assurée.

– Le service s'achève. Nous pouvons sortir, précisa Tony qui ajouta : Il fait un peu chaud, ici; allons prendre un bon bol d'air frais.

Il se garda bien de lui révéler à quel point l'affolait cette cuisse ronde et tiède qui s'était pressée parfois contre la sienne. Il avait pu constater que la jeune femme avait de très beaux seins qui tendaient son corsage et qu'elle sentait bon.

Et son père qui n'en finissait pas de se relever et qui lui bloquait le passage! Encore une minute et Tony allait renverser Annabella sur le banc pour l'étreindre sauvagement! Il bouscula Mike, s'excusa et se hâta vers le parvis. Là, le pasteur conversait avec ses ouailles. Lorsqu'on aperçut Tony, on lui souhaita la bienvenue, et bien des femmes avaient l'œil luisant en contemplant sa belle prestance.

Ses parents le rejoignirent. On bavarda encore un peu avec les voisins et amis.

Annabella avait hâte de s'éloigner. Elle tenta de se frayer un passage à travers le groupe, pressée qu'elle était de rentrer chez elle, de refermer sa porte et de ne plus jamais ressortir, tant elle avait honte de s'être laissée emporter.

– Miss Annabella, la héla Mary, nous feriez-vous le plaisir de venir déjeuner à la maison? Nous serions heureux de partager notre festin dominical avec vous. D'ailleurs, tout est prêt; il n'y a plus qu'à mettre une allumette sous les casseroles pour réchauffer les plats. Ne refusez pas : vous nous feriez de la peine.

– Moi?

– Oui, Miss Annabella, venez donc. Vous nous feriez grand plaisir. Pas vrai, Tony? renchérit Mike.

– Hein? Oh mais oui, bien sûr, approuva Tony qui revenait sur terre.

Il n'aurait même pas le temps de se remettre de ses émois! Qu'allait-il devenir, s'il était forcé de réagir à chaud?

– Merci infiniment, mais je ne puis accepter...

– Eh bien c'est entendu, je vous emmène! s'empressa Tony avant qu'elle ait eu le temps de s'esquiver. Maman est fine cuisinière et elle adore qu'on goûte à ses inventions. Elle s'est mise à la nouvelle cuisine, dernièrement. Je suis sûr que vous pourrez lui conseiller des ouvrages très intéressants sur le sujet. Maman, papa, rentrez en voiture; Miss Annabella et moi vous rejoindrons à pied. Ça nous délassera les muscles et nous ouvrira l'appétit. A tout à l'heure...

– Mais...

Sans laisser à son épouse le temps d'en dire davantage, Mike lui prit le bras et l'entraîna vers leur auto.

– Bonne idée, Tony. Viens, Mary. Il est temps d'aller réchauffer ton festin, nous avons une invitée de marque!

– Vous n'avez rien contre la marche, j'espère?

demanda Tony. Vous êtes peut-être venue en voiture...?

– Non, je suis venue à pied mais..., balbutia Miss Annabella.

– Parfait. Allons-y!

Et ils s'éloignèrent du temple bras dessus, bras dessous.

– Ouhou! Tony Russell! J'attends ton coup de fil, s'écria une voix féminine. En ce moment, j'ai du temps libre.

Tony agita la main au-dessus de sa tête, sans même prendre la peine de se retourner pour voir de qui il s'agissait. Annabella, elle, jeta un coup d'œil.

– Casey Mae Templeton..., annonça-t-elle sur un souffle.

– Je ne l'ai pas vue depuis des lustres, lâcha Tony. Dans le genre crampon...

– Elle vient de divorcer pour la troisième fois.

– Pas possible! Eh bien qu'elle continue sans moi. Elle finira sûrement par tomber sur le bon numéro.

Ils traversèrent la place et cheminèrent vers le domicile des Russell. La petite main se pelotonnait au creux du bras de cet homme tant convoité.

– Et vous, Miss Annabella, dites-moi... Avez-vous l'intention de vous marier bientôt?

Un peu rapide, un peu osé, comme question, mais autant s'assurer tout de suite que la voie était libre, côté cœur, chez Miss Annabella, se dit-il.

– Non, je ne crois pas.

– Pourquoi pas?

– Eh bien, voyez-vous...

Elle ne pouvait quand même pas lui avouer que les hommes ne semblaient pas la remarquer! Et s'ils l'avaient remarquée, d'ailleurs, elle n'aurait su comment réagir. Il ne fallait pas se court-circuiter en expliquant qu'elle avait depuis longtemps renoncé à ses rêves, à son désir d'être mère et épouse, pour accepter la vie telle qu'elle était.

– C'est ainsi, voilà tout.

« Elle a esquivé ma question, insistons davantage », s'encouragea Tony.

– J'ai ouï dire que Ralph Newberry avait des vues sur votre délicieuse personne, Miss Annabella, poursuivit-il en surveillant ses traits afin d'y lire ses émotions secrètes.

– Mon Dieu! C'est donc bien ce que je craignais. Il est si... Je ne voudrais pas me montrer méchante langue mais il est, disons, un peu bêta.

A sa grande surprise, Tony se sentit infiniment soulagé. Son visage se fendit d'un large sourire.

– Souffre-t-il toujours de ses fameuses allergies?

– Pour ça, oui! Il n'arrête pas de se moucher. Oh! pardonnez-moi, je n'avais pas l'intention de critiquer... Et vous, comptez-vous vous remarier?

– Absolument, oui. C'est bien mon intention.

– Ah oui? Pourtant Susie et Clara prétendent que... Excusez-moi, je ne sais ce qui me prend... La chaleur, sans aucun doute. Depuis que j'ai hérité de cet avion, je n'ai plus ma tête.

– En effet, vous avez changé. Cela vous flatte, ajouterai-je. Vos cheveux... sont-ils très longs?

– Mes cheveux? Mais bien entendu! Enfin... oui, je crois qu'ils sont longs puisqu'ils m'arrivent au milieu du dos. Je devrais les couper.

– Surtout pas!

Annabella sursauta devant une telle véhémence.

– Je veux dire... Vous connaissez le poème de Baudelaire? Oui, bien entendu. Laissez-les donc flotter sur vos épaules, de temps en temps. Ce serait charmant.

– Vous n'y pensez pas! Mon image de bibliothécaire stylée en serait terriblement affectée.

– Vous n'êtes pas née bibliothécaire mais femme. De même que je ne suis pas né pilote mais homme. Le tout est de savoir donner des vacances à notre véritable nature, de temps en temps.

« S'il savait à quel point je me sens en vacances, j'en rougirais », songea Annabella.

– Naturellement, je comprends, se contenta-t-elle de répondre d'une voix aussi assurée que possible.

Tony s'arrêta si brutalement que la jeune femme faillit trébucher. Elle leva vers lui des yeux chargés d'interrogation.

– Donc, vous avez tout compris...

– Je vous demande pardon? dit-elle, suffoquant presque. J'ai déjà oublié la question.

– Vous rendez-vous réellement compte que vous êtes vraiment femme et que vous réveillez en moi l'homme qui dort?

Ils se trouvaient au pied du chêne centenaire, orgueil de la bonne ville d'Harmony. Il eut envie de lui prendre la bouche et de joindre le chant de son cœur à celui, presque plus subtil, des feuilles frémissantes. Ah... l'embrasser...

– Oui, je m'en rends compte, Tony. Très bien, même.

Les mains de l'homme s'élevèrent vers son visage tandis que sa belle bouche se rapprochait insensiblement, au ralenti du désir.

– Si vous saviez ce que cela me fait du bien, de vous entendre parler avec cette franchise...

Et la bouche frémit sur la sienne, y puisant toute la sensualité qu'elle avait refoulée durant tant d'années, la suppliant de s'offrir, de dire oui et de prendre l'initiative de lui répondre.

– Ouvrez-vous à moi...

Annabella, qui avait déjà fermé les yeux, les rouvrit soudain, presque choquée de l'entendre prononcer les paroles qui bouillonnaient en elle. De surprise, elle entrouvrit les lèvres.

– Oui, c'est ça...

La bouche se scella à sa bouche, l'explorant, la titillant, la relâchant pour mieux la retrouver. Une marée de sensations balaya la jeune femme de la tête aux pieds. Elle crut mourir de plaisir sous les caresses expertes de celui qui avait si bien su deviner le feu de passion qui la rongeait.

Et elle répondit, fervente, avec toute sa féminité oubliée. Elle se sentait belle, aimée, désirée et désirable. Elle n'était plus qu'une femme embrasée dans les bras d'un homme extrêmement viril.

Sentant une telle ardeur sous sa bouche, Tony faillit gémir de joie. Jamais il ne s'était senti aussi fort, aussi troublé que par ce tendre petit moineau qui lui confiait presque tous les secrets de son corps. S'ils continuaient à s'étreindre ainsi, comme des fous, il ne pourrait répondre de la suite. Il se colla à elle, afin qu'elle comprenne le pouvoir qu'elle possédait.

Et puis il s'arracha lentement à cette bouche maintenant toute rose, aux lèvres pleines et humides qu'il avait su éveiller à la volupté du baiser.

– Annabella, ma tendre amie, vous embrassez comme un rêve, murmura-t-il d'une voix chavirée.

– Vous croyez...? Mais non, c'est vous qui embrassez très bien. Je n'avais jamais échangé un baiser aussi...

– Cela vous aurait-il déplu?

– Non, c'était délectable. Merci, Tony...

– Vous n'avez pas à me remercier puisque vous aussi, vous avez donné. Vous m'avez embrassé, et je n'oublierai jamais cet instant.

– Il le faudrait, pourtant. D'ailleurs, j'espère que personne ne nous a vus. On pourrait jaser...

Ils reprirent leur route, collés l'un à l'autre.

– Je n'ai pas pour habitude d'embrasser les hommes sur la voie publique.

– Pourquoi? Vous le faites ailleurs?

– Et vous? J'ai l'impression que vous avez une grande expérience en la matière.

– Vous plaisantez, j'espère.

– Vous aussi, Tony. Dans ce cas, nous sommes quittes. Mais quand même... Vous me poussez à faire de ces choses...

– En quoi est-ce mal de s'embrasser en plein jour si ça nous chante? J'ai bien l'intention de recommencer à la première occasion!

« Allons, Russell, calme-toi, tu vas l'effaroucher, la belle au bois se réveillant. »

Il lui passa le bras autour des épaules pour la rassurer, car il était conscient des reproches qu'elle devait se faire. Ç'avait été le grand choc! A lui de montrer par sa présence chaleureuse qu'elle n'avait commis aucun sacrilège en lâchant la bride à la femme passionnée qui dormait en elle. Il ne fallait surtout pas qu'elle ait peur, à l'avenir.

Annabella semblait vivre sa vie paisible sans se demander si elle était très seule ou pas. Tony lui montrait donc les choix qui s'offraient. Ainsi, lorsqu'elle aurait compris certaines choses, peut-être pourrait-elle lui révéler, à lui, le secret des solitudes heureuses. Dans le cas contraire... Avant de repartir pour New York et sa vie trépidante, c'était décidé, Annabella et lui sauraient s'ils étaient faits pour vivre en célibataires ou si la vie de couple leur convenait mieux, à l'un comme à l'autre.

– C'est un peu tard, non? murmura Annabella. De votre côté, vous avez dû être plus précoce...

Tony ne répondit que par un petit rire rassurant. Lorsqu'ils arrivèrent devant la maison de ses parents, il la laissa entrer avant lui, se régalant du spectacle de cette taille si mince qui révélait des hanches délectables, de ces chevilles d'une finesse extrême.

« Elle me fait penser à une voluptueuse beauté qui cache ses charmes sous des habits de nonne », songea-t-il. Et il entra en se râclant la gorge pour chasser son trouble.

Annabella était aux anges. Les Russell la chouchoutaient, la resservant à tout propos de poulet grillé aux pommes rissolées, puis de clafoutis aux cerises et de glace à la vanille. C'était visiblement une famille heureuse et pleine d'humour qui savait rire d'elle-même.

Elle avait pénétré dans un vrai foyer et la maison, qui n'était pas très grande, semblait tout entière animée par une vie d'amour et de chaleur. Les parents échangeaient souvent des regards tendres et, lorsqu'ils s'adressaient à Tony, ils rayonnaient de fierté.

Ce dernier raconta quelques anecdotes d'enfance. Un jour, il s'était installé sur le toit pour espionner l'une de ses sœurs qui se laissait conter fleurette par l'un de ses soupirants, sous le porche. Son autre sœur l'avait aperçu sur son perchoir et elle avait retiré l'échelle dont il s'était servi. Tony avait dû attendre des heures le retour de ses parents qui étaient enfin venus le délivrer.

Ces petites histoires attendrissantes faisaient rire Annabella aux éclats. Et quand son regard, à nouveau grave, tombait sur Tony, elle rougissait jusqu'aux oreilles en lisant l'émerveillement au fond de ses yeux.

– Vous êtes née à Tulsa, Miss Annabella? demanda Mike Russell.

– Oui, et j'y ai fait mes études dans un pensionnat catholique. Mon père est mort lorsque j'avais quatre ans; ma mère était de santé fragile. Elle n'avait pas la force d'élever seule une enfant. Elle s'en est allée quand j'avais douze ans.

– Bessie Montgomery était votre tante, me semble-t-il?

– Oui. J'ai appris que j'avais une tante quand le notaire m'a contactée, après son décès, pour m'apprendre qu'elle m'avait laissé sa maison. Ma mère et elle s'étaient brouillées, bien avant ma naissance. J'ai été extrêmement surprise d'apprendre qu'il me restait de la famille. Durant mes années de pension..., je m'étais crue seule au monde.

« Voilà pourquoi elle l'est restée jusqu'à présent, se dit Tony. Une vieille habitude, en quelque sorte. Mais si elle avait le choix...? »

– Bessie aurait dû vous faire signe plus tôt, dit Mary. La vie a dû vous sembler très triste.

– Elle devait avoir ses raisons, je suppose. Mais n'était-ce pas chic, de sa part, de me laisser sa maison de Peach Street? Je m'y plais. D'ailleurs, je préfère de beaucoup Harmony à Tulsa.

– Pourtant, les jeunes d'ici ne pensent qu'à partir, ajouta Mike.

– Moi j'y suis heureuse.

Était-ce la vérité? Certes, depuis l'arrivée de Tony, sa vie avait pris un relief inattendu. Mais cela signifiait-il qu'elle avait été malheureuse, auparavant?

Tony et Mike débarrassèrent ensuite la table.

Tandis qu'Annabella rinçait la vaisselle, Mary la disposait dans le lave-vaisselle. En somme, toute la famille coopérait aux tâches ménagères.

– Je vous remercie de m'avoir invitée, dit-elle enfin.

– Merci à vous d'avoir accepté, répondit Mary. Mais ne vous sentez pas obligée de repartir; restez donc avec nous à fainéanter sous le porche. C'est là que nous nous relaxons, le dimanche après-midi.

– Si tu me prêtais la voiture, papa, je pourrais mener Annabella au lac artificiel que je n'ai encore jamais vu.

– Bien sûr, mon garçon, papa est d'accord, fit Mike en riant. Tu nous diras ce que tu en penses.

Et il tendit les clés à son fils.

– Amusez-vous bien! s'écria Mary.

– Ils ont installé des cabines de bain? demanda Tony.

– D'après le journal, non. Il faut vous mettre en maillot avant de partir. Mary, nous avons bien des serviettes de plage à leur prêter, non?

– Oui. Je vais les chercher. C'est une belle journée pour se baigner.

– Je cours me changer, décida Tony. Je vous accompagne ensuite chez vous pour que vous vous mettiez en maillot, Annabella.

– Mais je...

– Vous aimez vous baigner, Miss Annabella? demanda Mike, resté seul avec elle.

– Je ne sais pas nager. Je barbote, tout au plus. Mais dites-moi... Tony est-il toujours aussi énergique? Il n'arrête pas, on dirait.

– Vous pouvez le dire, Miss! C'est un homme d'action, mon fils. A tel point qu'il est venu récupérer chez papa-maman. Il est épuisé, tel que vous le voyez.

– Si vous appelez cela épuisé, je me demande ce que ça doit être lorsqu'il est en forme.

Mike éclata de rire. Mary reparut avec deux grandes serviettes, suivie de Tony. Il portait un bermuda fait d'un jean coupé à mi-cuisses et un tee-shirt qui mettait en valeur son torse musclé. Annabella le trouva séduisant en diable.

– Prête, Miss Annabella?

– Oui, quoique, je dois vous l'avouer : je ne sais pas nager.

– Vous vous tremperez bien les orteils, non? Après, on fera bronzette.

– Soyez prudents : vous venez tout juste de finir de déjeuner, les avertit Mary.

– Le temps de conduire Annabella chez elle puis de gagner le lac, je crois qu'il n'y aura pas de problèmes, répondit Tony.

– Prenez du bon temps, fit Mike en allumant sa pipe.

– Merci encore. Le déjeuner était succulent, déclara Annabella. Oh!

Tony venait justement de lui saisir la main pour l'entraîner en vitesse vers la voiture.

– Excusez-le, Miss Annabella, dit Mary. Tony a juré d'aller toujours plus vite que son ombre. Il ne se rend pas compte que c'est parfois grossier.

Mais Mike se contenta de sourire au milieu d'un nuage de fumée.

Avant d'avoir eu le temps de dire ouf, Annabella se retrouva assise sur son lit, le cœur battant. Où avait-elle bien pu ranger son maillot de bain? Question difficile, puisqu'elle ne l'utilisait plus depuis des années. Bah! Au point où on en était, autant ne pas faire de complications, et se laisser entraîner à folle allure par monsieur le pilote. Elle se décontracta et brusquement se souvint qu'elle avait rangé son petit maillot bien sage dans une valise, au grenier.

– J'espère qu'il ne va pas être trop déçu, marmonna-t-elle tout en enfilant la chose. Je me demande à quoi il ressemble, lui, en caleçon de bain.

– C'est gentil tout plein, chez elle, murmurait Tony qui, pendant ce temps, faisait le tour du propriétaire. Un pot de violettes de Toulouse... Hem, ça sent très bon. Et une aquarelle représentant des violettes accrochée au mur. Je me demande si la chère bibliothécaire possède, dans ses rayons, les œuvres complètes de Violette Leduc et de Violette Tréfusis... Certainement, puisque Annabella est une femme de goût. Merci, les violettes, de lui avoir envoyé un avion. Sans vous, je n'aurais jamais fait sa connaissance. Depuis ce jour, je me sens un homme neuf, utile, fort. En somme, elle m'a rendu vigueur. J'ai comme l'impression qu'elle n'attendait que moi...

Tony sombra sur le canapé et prit dans ses bras un gros coussin qu'il se mit à pétrir contre son cœur. Il avait le sentiment que son rôle, c'était de ramener Miss Annabella sur la voie de l'amour vrai. Quitte à la perdre, lorsqu'elle aurait découvert sa véritable nature... Et si elle le lâchait, lorsqu'il lui aurait révélé l'amour?

Sur ces entrefaites, Annabella parut sur le seuil de la salle à manger. Tony se releva lentement, comme médusé, tandis qu'il parcourait du regard la silhouette qui s'avançait vers lui.

Oh! Surprise!

A part le chapeau de paille à bords si larges qu'ils lui mangeaient la moitié du visage, Annabella avait revêtu une espèce de robe immense qui la prenait du menton aux chevilles : une sorte de tente violet foncé qui cachait tout de ses formes et formait volant au-dessus des pieds chaussés de mocassins marron.

Tony eut le vague sentiment de s'être trompé d'adresse. De qui se moquait-on, ici? Il ne se souvenait pas de lui avoir proposé de visiter le couvent des Oiseaux. Encore que les jeunes filles de familles strictes qui fréquentaient cet établissement avaient la bienséance de s'afficher en bikini sur les plages huppées! Bon, d'accord, Harmony plage, ce n'était pas Deauville! Mais quand même...

Il sourit un peu jaune et s'inquiéta :

– Savez-vous, Annabella, qu'il fait trente à l'ombre? Je me demande si vous êtes assez couverte.

– Rassurez-vous, Tony, fit-elle en relevant le bord de son couvre-chef pour lui lancer une œillade enflammée. Ce vêtement est tout simplement destiné à donner le change, au cas où la bibliothécaire d'Harmony croiserait un abonné, au lac.

– Ouf! J'aime mieux ça. Vous avez là-dessous quelque chose d'infiniment plus léger, je suppose. Infiniment..., bégaya l'athlète médusé.

– Naturellement, Tony, voyons. Je compte me baigner, pas me noyer.

– Dans ce cas... hâtons-nous avant que vous ne preniez un coup de chaleur.

– Je suis prête.

Tony lui adressa un ultime regard. Il espérait avoir rêvé. Mais non : la tente ambulante – et violette, en plus – le suivait docilement. « Les grands initiateurs ont parfois la vie dure », lui souffla sa conscience qui ricanait.

Ils se hâtèrent vers la voiture car Tony n'avait pas envie de faire de « mauvaises rencontres. » Il lança sans se retourner :

– Il paraît qu'on donne un rodéo, dans la ville voisine. C'est un spectacle qui attire les foules. On ne sera donc pas dérangés, au lac.

Mais Annabella ne pouvait se défaire de sa peur. Elle était persuadée de trouver le tout Harmony se prélassant sur les berges du lac artificiel... prêt à faire des commentaires déplacés sur les formes et sur le grain de peau de la bibliothécaire.

4

LE lac se trouvait à mi-chemin entre Harmony et Castle Grove. Ce qui était compréhensible puisque les deux villes avaient participé chacune pour moitié à son aménagement.

– Ils ne lui ont pas encore trouvé de nom, à ce lac, fit Tony. A mon avis, les deux municipalités devraient prévoir des boîtes aux lettres pour permettre aux citoyens d'en suggérer un.

Annabella releva le bord de son chapeau et lança à Tony un regard chagrin.

– Ne me parlez plus de tirage au sort et de boîtes aux lettres! La dernière fois que j'y ai glissé le mien, mon bulletin a été choisi et je me suis retrouvée avec une machine volante sur les bras.

– Je n'oublie pas que vous désirez vous en débarrasser, Annabella. Dès demain, je téléphone à mes amis. Mais regardez-moi ces arbres et cette pelouse: pas un chat à l'horizon. C'est une véritable oasis de fraîcheur et de paix.

– Un rêve... Vous avez raison. Je n'avais jamais vu cet endroit qu'en photo, dans la presse. Il y a même une bande de sable; on se croirait à la mer.

Tony jeta à sa compagne un regard furtif. Ses lèvres s'étirèrent en un beau sourire quand il vit l'étincelle de joie qui lui faisait pétiller les yeux et révélait l'adorable fossette, au creux de sa joue. Une fois de plus, le sang se mit à courir plus vite dans ses veines. Annabella avait l'allure d'une petite fille pétulante doublée de celle d'une femme fatale et mystérieuse qui s'ignore. Sous la tente violette qui lui servait de cache-tout, elle demeurait quand même infiniment séduisante. Pensif, Tony hocha la tête et conduisit la voiture jusqu'à l'extrême bout du lac.

– Il n'y avait pourtant pas grand monde, sur l'autre rive, s'étonna Annabella.

– De ce côté, l'herbe est plus grasse et on a l'ombre des arbres. On pourra s'y rafraîchir, après le bain. Je trouve l'endroit convivial. Pas vous?

– De fait..., dit-elle, à court d'arguments.

Peu après, couverture et serviettes de bain étaient étalées à l'abri des arbres.

– Eh bien, Annabella? Prête à vous tremper les orteils?

– Ma foi, bafouilla-t-elle en ôtant ses mocassins. Je suis prête.

– Vous n'allez pas vous exposer en plein soleil avec ce truc qui pèse une tonne! Il y aurait de quoi mourir d'insolation. A mon commandement, tout le monde en maillot! s'écria-t-il en ôtant son tee-shirt.

Annabella ne bronchait pas. Elle se borna à admirer le torse musclé tandis que Tony s'apprêtait à ôter son bermuda. Allait-il se baigner nu? Elle en suffoquait d'avance. Aussi ferma-t-elle les yeux. Il s'agissait de garder une contenance, tout de même!

Quand elle les rouvrit, son regard tomba sur les orteils bronzés qui frétillaient. A côté, un bout de jean délavé... Non! Jolis mollets... Joli slip de bain, aussi. C'était un maillot blanc qui le moulait au possible. La bibliothécaire très digne et la femme se livrèrent une lutte acharnée, en Annabella. La bibliothécaire, naturellement, avait envie de rentrer sur-le-champ à la maison; quant à la femme, elle était comblée... ou presque.

– Annabella?

– Oui?

Oubliant ses débats intérieurs, elle lâcha:

– Vous avez un corps splendide, Tony.

« Bravo, ma fille! Tu t'en sors toujours très bien », se félicita-t-elle. Tony ricana, si bien qu'il faillit s'étrangler.

– Mais oui, vous êtes très bien fait. Vous vouliez mon avis: je vous l'ai donné.

– En réalité, je vous demandais si vous consentiriez à vous débarrasser de votre harnachement... pardon, de votre costume de plage.

– Voyez-vous, je n'avais pas saisi l'astuce.

– Je peux vous aider...

– Non! non! Je m'en sortirai très bien toute seule, s'affola-t-elle.

– Dans ce cas, dépêchez-vous avant que la chaleur ait eu raison de vous.

Elle ne bougeait toujours pas. Tony lui ôta son chapeau.

– A vous, maintenant.

– Bien entendu...

Annabella dégrafa les trois premiers boutons de sa « tente » de plage et souleva la masse de tissu.

Des jambes d'une longueur interminable parurent, aux mollets satinés appelant la caresse... et puis suivit le maillot. Une petite chose ravissante, en fait, puisqu'il s'agissait d'un maillot une pièce noir qui lui affinait la silhouette, si tant est qu'elle en eût besoin. Hanches bien moulées, poitrine généreuse et ferme surmontant une taille gracile : Annabella n'avait pas grand-chose à envier à Miss Monde.

Curieusement, Tony crut qu'il ne pourrait jamais retrouver son rythme cardiaque normal. Oh! surprise – confirmée – le petit moineau était bien une femme splendide.

Le vêtement de bain révélait par son décolleté juste ce qu'il fallait des deux seins aguicheurs.

– Ahem! Cette tenue flatte vos charmes, Annabella.

– Quels charmes?

– Ne jouez pas les innocentes. Vous êtes à croquer, là, à moitié nue devant moi.

– Mais j'ai des cuisses de poulet et une poitrine de bibendum. Soyons sérieux, Tony! En plus, vous me poussez à me décrire moi-même comme si j'étais à vendre! Allez plutôt vous baigner. Nous en avons bien besoin.

– Un dernier mot, ma chère : vous ne savez pas ce qu'aiment les hommes. Voilà pourquoi vous vous dénigrez.

Sur ce, il fut sur elle, lui expliquant d'une voix vibrante :

– Vos jambes sont d'une finesse divine. Vos seins? Oui, vos seins, ne rougissez pas... Si je voulais vous faire rougir davantage je dirais qu'ils sont désirables, que j'ai envie de les toucher; d'y goûter, même.

– On ne touche pas! Et on arrête tout! glapit Annabella dont les genoux s'entrechoquaient presque.

– Vous n'avez rien contre un petit baiser très innocent, Annabella, si?

– Je n'ai rien contre, affirma-t-elle, en femme qui se voulait émancipée. Au contraire. Embrassons-nous...

A nouveau, la magie se reproduisit. Il lui prit longuement la bouche, avec fureur presque, comme si jamais leurs lèvres ne devaient se disjoindre tant elles s'aimaient. D'instinct, leurs doigts s'entrelacèrent et leurs deux corps se rapprochèrent, à peine séparés par le tissu. Tony nicha ce bassin de femme au creux de lui et leur étreinte se fit folle.

Annabella eut peur lorsqu'elle perçut ce qui se passait dans l'alchimie sensuelle qui les liait. Tony parcourut de ses mains fébriles le corps presque livré, les seins et le dos de la jeune femme qui haletait contre lui. Dieu qu'elle était bonne! Il avait envie de lui révéler tous les raffinements de l'amour, de la savourer dans ses secrets les plus intimes et de la faire gémir. Il savait que leurs nuits ensemble seraient fabuleuses, car le petit moineau montrait des dispositions qu'une femme d'expérience n'avait pour ainsi dire pas.

« On se calme! se gronda-t-il. Ça suffit, les fantasmes. On est venu se baigner, rien de plus, vil séducteur! » A nouveau et à regret, il la libéra avant d'avoir cédé à ses pulsions. Avec courage, il redressa la tête.

– Annabella!

Pas de réponse.

Il lui massa la taille tout en l'écartant de lui.

– Annabella!

Enfin, elle ouvrit les yeux.

– De quoi s'agit-il?

– C'est l'heure d'aller se baigner. La digestion est faite. Allons nous rafraîchir.

– Je ne sais pas nager.

– Restez au bord, il n'y a rien à craindre, ici. A tout à l'heure.

Sur ce, Tony piqua un sprint jusqu'au lac où il se glissa, tel un gardon. Annabella le contempla, les yeux ronds, tandis qu'il froissait l'eau de son crawl impeccable. Il s'éloignait inexorablement.

Elle eut envie de le rejoindre. Lorsque les vagues lui léchèrent les orteils, elle émit un petit gloussement de bien-être. Puis, les yeux fixés sur son beau nageur qui fonçait au loin, elle s'avança, fascinée.

Soudain, elle suffoqua. Quelque chose se dérobait sous ses pieds. Des sables mouvants? Un banc de sable qui s'effondrait? Elle battit l'air en hurlant, cherchant à revenir en terre ferme. Mais elle comprit bientôt qu'elle était trop loin de la grève. Sous ses pieds, il n'y avait plus que l'abîme.

Elle s'engloutit, remonta à la surface et, avant de sombrer définitivement, elle hurla :
– Au secours! Je me noie!

Tony dressa l'oreille en entendant crier Annabella. La voyant couler, il changea de cap et fonça droit vers elle avec toute l'énergie qui subsistait dans ses muscles fatigués. La tête d'Annabella disparaissait au moment même où il l'atteignait. Il la recueillit dans ses bras et reprit pied : l'eau lui arrivait aux épaules.
– Vous êtes sauvée, Annabella, dit-il, le souffle rauque. Allons, détendez-vous, tout va bien.
Elle chercha sa respiration puis se mit à tousser et lui jeta les bras autour du cou, se raccrochant à lui de toutes ses forces.
– J'ai failli me noyer. C'était affreux!
– Disons... pas tout à fait, mais vous avez bu une bonne tasse, et en plus vous avez eu la peur de votre vie. Rien de cassé, la rassura-t-il en la ramenant sur la grève.
La jeune femme enfouit son visage dans le cou de Tony et elle renifla. L'homme atteignit l'herbe. Il la déposa sur la couverture, toute tremblante. Voyant cette poitrine opulente que le maillot trempé dessinait nettement, il tituba mais eut quand même la force de lui draper l'une des serviettes autour du corps.
– Voilà, Annabella, tout va bien. C'est fini. Vous vous en êtes tirée sans mal. Maintenant, respirez à fond et essayez de vous détendre. Vous êtes sauvée.

Lorsqu'elle leva les yeux vers lui, Tony sentit son cœur frapper comme un fou. La jeune femme avait de l'effroi plein les yeux. Aussi prit-il place à son côté et lui enlaça-t-il les épaules.

– Je... je ne sais plus ce qui s'est passé, hoqueta-t-elle. Je m'avançais dans l'eau et brusquement, le sable s'est... je n'avais plus pied. Tony, quelle sensation épouvantable...

– Bien sûr, je vous comprends. Maintenant, essayez de récupérer; nous avons le temps.

Il jeta un coup d'œil à la coiffure de la jeune femme.

– Vos épingles à cheveux tombent à moitié. Voyons comment nous allons arranger ça...

Et, à mesure que les épingles cédaient, la lourde natte glissait jusqu'au creux des reins d'Annabella. Sans mot dire, Tony en ôta l'élastique, puis il passa lentement les doigts dans la chevelure vibrante.

– Vous avez une brosse?

– Oui, dans mon fourre-tout mais que voulez-vous...?

– Chut... Détendez-vous et ne pensez plus à rien.

Tony prit l'instrument avec lequel il se mit à démêler les mèches. Le soleil, réverbéré par le feuillage, diffusait vers eux une clarté lustrée. Ajoutée aux mouvements de la brosse, la lumière s'emparait des mèches brunes et y faisait courir des rousseurs. Tony savourait cette merveilleuse fourrure qui recouvrait le dos délicat de sa compagne. On eût dit de la soie. Comme il aurait aimé s'en laisser recouvrir, durant leur étreinte...

– On ne m'avait encore jamais brossé les cheveux, murmura Annabella.

– Personne? Pas même votre mère?

– Non.

– Ils sont beaux, Annabella, fit-il d'une voix légèrement enrouée par l'émotion. Ils sont splendides. Vous devriez vous les laisser flotter dans le dos.

– Non..., ce ne serait pas convenable.

Tony se déplaça afin de s'installer face à elle. Sa cuisse toucha celle de sa compagne. Il prit les cheveux à pleines mains et les laissa couler entre ses doigts tandis qu'il lui en recouvrait le buste, la transformant en une délicieuse madone triste. Il vit les seins de la jeune femme s'émouvoir de la furtive caresse. Lorsqu'il leva les yeux vers elle, Annabella le fixait.

– Vous êtes très belle..., murmura-t-il.

Cette soie brune adoucissait les traits d'Annabella, la transformant en une jeune femme adorable. Le petit moineau avait disparu pour laisser place à une adolescente étonnée.

– Merci de m'avoir sauvé la vie, murmura-t-elle.

– Je n'ai rien... Bon, d'accord, mais c'était avec plaisir, lui sourit-il.

Après quoi, il se pencha et l'embrassa.

La serviette lui glissa des épaules lorsqu'elle tendit les bras pour pétrir de ses doigts avides les cheveux humides de Tony. Ce geste accrut encore la pression de leurs bouches et Tony en profita pour se montrer des plus indiscrets. Bouches jointes, il s'avança et la serra dans son giron. Leurs lèvres s'affolèrent. Il lui lâcha les hanches et remonta jusqu'aux seins qu'il effleura en de savantes caresses. Ils se tendirent aussitôt vers lui, accentuant encore le désir maintenant douloureux qu'il avait d'elle.

Annabella frémissait entre ses bras. Elle avait failli gémir lorsqu'il s'était emparé de son buste. La jeune femme se sentait au paradis. Quel bonheur de recevoir le baiser terriblement sensuel de cet homme terriblement séduisant! Ses doigts lui faisaient à la fois mal, tout en lui apportant en partie le réconfort auquel son corps aspirait. Ses cuisses dures lui encerclaient le bassin. Un véritable délice...

C'est en ce moment de béatitude que la petite voix de la raison choisit d'intervenir. Annabella ouvrit les yeux... pour se retrouver sur cette plage, totalement à découvert, c'est-à-dire livrée au regard d'éventuels promeneurs. Elle, la digne bibliothécaire, en train de... en public! En plein jour! Bouh! Elle risquait de se faire arrêter et mettre en prison pour attentat aux bonnes mœurs, oui. Allons, la bibliothécaire, un peu de tenue! conclut la voix.

Cette voix lui était bien trop familière pour qu'Annabella sache lui résister. Elle lâcha le torse de Tony, qu'elle pétrissait pourtant avec une sorte de voluptueuse folie, et le repoussa de toutes ses forces. Autant essayer de repousser un mur! Elle s'obstina, pourtant. Et Tony finit par lui lâcher la bouche et les seins.

– Qu'y a-t-il? Qu'est-ce qui vous arrive? fit-il, la prunelle trouble.

– Laissez-moi me relever. C'est une honte...

– Co... comment?

– Poussez-vous, Tony Russell.

Tony secoua lentement la tête, comme s'il venait d'avoir un éblouissement, puis il la libéra. Il remonta les genoux contre son menton pour cacher l'évidence de son désir et inspira par saccades. Annabella, le regard au loin, l'air outré, s'était emparée de la serviette qu'elle serrait, tel un rideau, sous son menton.

– Qu'avez-vous, Annabella?

Les yeux furibonds, elle le regarda en face et cracha :

– C'est vous qui avez le culot de me le demander?

– Mais oui, pourquoi? Je ne vois pas où est le problème...

– Se laisser malmener devant tout le monde, monsieur Russell, vous ne trouvez pas cela choquant?

– Comment ça, malmener? Je suis désolé, mais je n'appelle pas les gestes tendres que nous avons échangés « malmener » une femme. Je vous embrassais, je vous caressais les seins...

– Arrêtez, voyons! On ne vous demande pas de donner des précisions!

– Je vous caressais donc les seins... Tiens, cette fois, vous ne protestez plus... Et, tandis que je vous touchais là où vous êtes vulnérable... Toujours pas de réactions... Bravo! Vous me répondiez avec ardeur, ma chère.

– Là, vous exagérez!

– Tiens... Pourtant, il m'avait semblé... Mais rassurez-vous, Annabella, nul n'a pu nous voir : j'ai pris mes précautions.

– Hum! Je vois. Vous aviez tout comploté, pour me régler mon sort, lâcha-t-elle en se relevant tant bien que mal. Vous avez délibérément choisi un endroit désert pour me faire subir les derniers outrages...

– Pas encore, ma chère. Ce n'étaient que les préliminaires, s'amusa Tony, la prunelle luisante.

Naturellement, Annabella ne parvenait pas à dissimuler entièrement son corps de sirène derrière la serviette. Tony penchait la tête à gauche, à droite, pour la faire enrager, et ne rien perdre du tableau. Les joues en feu, les cheveux emmêlés, ses beaux yeux bruns enflammés par une fureur étonnante, elle était plus désirable que jamais.

– Mais voyons, Annabella, il n'y a pas de quoi monter sur ses grands chevaux!

– Si!

Et elle se pencha, ramassa à la volée sa brosse à cheveux qu'elle fourra dans son sac.

– J'ai honte de moi-même. Sachez que si l'homme abuse, c'est à la femme que revient la faute : il ne saurait prendre que ce qu'elle veut bien lui donner. J'ai été faible... Beaucoup trop faible! J'assume l'entière responsabilité de nos égarements.

– Nos égarements! Vous deviez lire et relire *Les Liaisons dangereuses* et *Les Infortunes de la vertu*, derrière vos piles d'almanach Vermot et de manuels de la parfaite ménagère, pas vrai?

– Cessez de rire, Tony!

Sa lèvre se mit à trembler et elle sembla s'effondrer :

– Je ne sais pas ce qui m'arrive. Je n'ai jamais permis à un homme... J'ai l'esprit en déroute... Je voulais que vous me... tout en sachant bien que jamais je n'aurais pu vivre en paix, après cela.

Et le petit moineau fondit en larmes.

Tony se rua vers elle et, très délicatement, il l'entoura de ses grands bras. Il lui posa la tête sur son épaule et lui caressa les cheveux, tandis que les sanglots la secouaient.

– Tout est de ma faute, Annabella. J'ai hâté les choses alors que je n'en avais pas réellement l'intention. Je vous demande pardon. Mais vous savez, lorsque je sens vos lèvres sous les miennes, je ne peux plus m'arrêter. Ce n'est pas une excuse, je le sais mais... Pardon de vous avoir fait tant de mal.

Annabella se calmait peu à peu, blottie dans la chaleur de ce grand corps qui sentait bon l'homme fort, bercée par les inflexions graves de cette voix de baryton. Elle reniflait à qui mieux mieux... et ne bougeait pas d'un pouce.

– Annabella?

– Moui...

– Acceptez-vous mes excuses?

Elle exhala un long soupir et lentement, comme à regret, elle leva la tête et recula, le contraignant ainsi à la lâcher.

– Ce n'est pas de votre faute mais de la mienne.
– Mais non. Écoutez, Annabella, je voulais justement vous mettre en garde contre les hommes mal intentionnés qui pourraient vous tourner autour... Ne me regardez pas ainsi, voyons! Je n'en suis pas un. Mes intentions sont honnêtes : la preuve, il ne se passera rien entre nous tant que vous ne le souhaiterez pas. J'attendrai que vous soyez prête et consentante.
– Si seulement j'étais capable de comprendre moi-même... Depuis que j'ai fait votre connaissance, j'ai l'impression d'être un bouchon ballotté à la surface des flots, un petit avion avalé par l'orage. Pourquoi me jouez-vous des tours pareils, Tony?
– Ce n'est pas pour vous nuire mais pour vous rendre service, Annabella. Mon père – et Dieu sait qu'il m'aime – mon père à lourdement insisté pour que je réfléchisse à ma propre existence. Et j'ai découvert en moi certaines choses que j'ignorais. Je me suis donc dit, d'instinct, que c'était peut-être aussi votre cas : que vous aviez besoin, pour faire le bilan, que l'on vous y exhorte gentiment. Mais jamais je n'avais envisagé de vous faire pleurer. Pardonnez-moi.
– Pourquoi... vous soucier de mon sort, comme cela? Jamais personne ne s'en est soucié, avant vous...
– Bah, c'est ainsi. Et si vous estimez que votre vie vous semble préférable telle qu'elle est, vous pourrez peut-être venir à mon aide en me révélant votre secret.

– Quel secret?
– Voilà... Tout bien réfléchi, j'ai découvert que, tout en menant une existence... assez originale... j'étais extrêmement seul.
– Vous? Cela paraît à peine croyable!
– A moi aussi, croyez-le bien! Néanmoins, c'est la vérité. L'ennui, aussi, c'est qu'il n'est pas facile de trouver celle avec qui on sera sûr de pouvoir vivre; j'étais sur le point de me résoudre à devoir vivre seul. Et puis j'ai pensé à vous, Annabella : vous semblez vivre votre solitude avec bonheur... Dès lors, pourquoi ne pas vous demander votre secret? Et puis...
– Et puis?
– Je me suis demandé si vous vous rendiez réellement compte de ce qu'était votre solitude. J'ai souhaité, comme mon père l'a fait pour moi, vous montrer ce que la vie peut nous réserver. Après quoi, libre à vous de le refuser.
Dans son embarras, il se passa la main dans les cheveux et poursuivit :
– A vous sermonner comme je le fais, je dois vous paraître plutôt arrogant, non? En tout cas, Annabella, il y a une chose sûre : c'est que les baisers que nous avons échangés ne faisaient pas partie d'un plan diabolique et prémédité. Ils étaient tout ce qu'il y a de plus vrai. J'aime vous sentir contre moi et vous embrasser. En conclusion, si vous voulez me donner une gifle, vous le pouvez.
La jeune femme restait sur son quant-à-soi. Mais au bout d'un moment, un tendre sourire lui adoucit les lèvres.

5

LE lendemain matin, enveloppée dans une serviette de bain en bouclette, Annabella se planta devant la grande glace de sa penderie. Et elle ne fut pas le moins du monde gênée de remarquer qu'elle avait pris des couleurs : le soleil lui avait donné un teint de pêche.

– Ça fait plus sain, plus vivant que lorsque je reste à pâlir à la bibliothèque, commenta-t-elle. Je n'aurais pas cru que le bronzage m'aille si bien.

Le cœur en fête, elle sortit ses dessous du tiroir de la commode. Dieu que la nuit avait été reposante! Elle qui s'était attendue à faire des cauchemars tant les paroles sérieuses de Tony l'avaient alarmée! Au lieu de cela, elle s'était endormie en le serrant mentalement – et presque physiquement – contre elle, pour ne se réveiller que très tard.

Que c'était bon, d'avoir un chevalier servant qui se souciait de votre bien-être! Un homme si beau qui vous prenait en charge... même quand on n'en avait pas besoin! Car Miss Annabella avait depuis belle lurette accepté la vie qu'elle menait. Mais comment décourager un homme si gentil, un homme qui l'emmenait faire bronzette, le dimanche? Après tout, si elle écoutait patiemment ses conseils, peut-être que cela le rassurerait, lui; cela lui procurerait le bonheur qu'il recherchait.

Elle s'élança toute guillerette vers la penderie et, trouvant ce qu'elle voulait, le sortit, les yeux pétillant de malice, la langue pointée entre les dents. Elle en connaissait qui allaient être très surpris...

Eh oui! En ce jour de bonne humeur, Miss Annabella avait choisi de revêtir une petite robe en coton jaune très pâle, avec un élastique à la ceinture et une jupe qui retombait en plis champêtres. Hop! En un rien de temps, la robe fut enfilée. Vite! les chaussures. Hop! elle passa les sandales à petits talons. Et – comble d'audace – elle se brossa les cheveux, non sans revivre les instants de frémissant bonheur que lui avait procurés Tony en les lustrant, la veille. Et puis l'impertinente sortit de la commode un ruban jaune qu'elle noua en catogan sur sa chevelure acajou : ainsi elle aurait l'air à la fois très sage et très femme.

– Dans le fond, qu'est-ce que je risque? se dit-elle. Ici, dans un sens, c'est le pays du Bois Dormant : personne ne remarquera que j'ai fait quelques folies.

Miss Annabella Abraham ne savait pas à quel point elle se trompait.

C'était l'ancienne prison d'Harmony qui abritait à présent les locaux de la bibliothèque municipale. Quand Annabella était arrivée, le poste de bibliothécaire était vacant depuis cinq ans car l'ancienne titulaire s'était enfuie avec le laitier. On n'en avait jamais plus entendu parler.

Miss Abraham avait donc hérité de cette bâtisse grise et poussiéreuse dans laquelle les livres étaient empilés à la va-comme-je-te-pose. Trois ans après l'intervention de la jeune femme, le bâtiment était devenu une vraie bibliothèque aux murs repeints de couleurs vives et accueillantes, aux ouvrages soigneusement classés sur les étagères. Du coup, la mairie lui avait octroyé un budget qu'elle dépensait avec sagesse pour augmenter le stock de livres et le confort des lieux.

Maintenant, on se déplaçait exprès pour aller se distraire à la bibliothèque. A tel point qu'Annabella eut bientôt besoin d'une aide. C'est ainsi que Mrs Perdy, une veuve qui avait plus de soixante-dix ans, aidait à mi-temps.

Ce fut Mrs Perdy qui aperçut la première Annabella, ce matin-là.

– Bonjour, comment ça...? Dieu du ciel! Mais que vois-je? Miss... vous êtes jolie comme un cœur!

– Euh... eh bien voyez-vous..., fit la jeune femme dont les joues hâlées s'empourpraient.

– Eh bien... Je m'en vais vous le dire, moi, Miss: vous avez l'air d'une pimpante jonquille dans les champs, au printemps. Une merveille... et qui l'eût cru?

– Mais voyons, remettez-vous, bafouilla Annabella qui tentait désespérément d'éviter l'employée rondelette qui s'agitait autour d'elle. Ce n'est qu'une petite robe sans prétention; il n'y a vraiment pas de quoi s'extasier.

– Moi je vous dis que si, il y a de quoi s'extasier, jeune fille. Jamais je n'ai compris pourquoi vous vous obstiniez à vous cacher sous ces habits de vieille dame, ces couleurs de vieille dame. Mais regardez-moi ça! Même la coiffure! Ravissant... Dieu du ciel! un catogan. Et ces joues légèrement bronzées... Elle est à croquer.

– J'ai pris un petit coup de soleil, fit Annabella, modeste, en filant dare-dare vers son bureau.

Mais on ne la lâchait pas d'une semelle. Les petits cris d'extase se poursuivirent, ponctués de « Dieu du ciel! »

– Je vous garantis, Miss Annabella, que je n'en révélerai rien à personne. A moi vous pouvez le raconter sans crainte : vous avez donc décidé de franchir le pas, avec Ralph Newberry?

Annabella s'arrêta si brutalement qu'elle manqua recevoir Mrs Perdy qui courait comme une perdue à ses trousses.

– Non, madame, lâcha-t-elle, soudain froide. Je n'ai nullement l'intention de franchir le cap – je vous cite – avec Ralph Newberry.

– Soyez loué, Dieu du ciel! s'écria l'autre en joignant ses mains grassouillettes sur son corsage bien rempli. Si vous voulez mon avis, les hommes qui ne font rien d'autre avec leurs dix doigts que se moucher, c'est intolérable!

Annabella pénétra dans son bureau en riant aux

éclats. Mrs Perdy faillit déraper en prenant le virage. Puis elle se figea, au seuil du lieu saint.

– Dans ce cas... Qui est-ce? Comment se nomme cet homme qui vous a poussée à vous pomponner?

– Tout de même, madame, se rebella la bibliothécaire. Pourquoi voudriez-vous que ce soit un homme qui m'ait poussée à changer de robe, aujourd'hui? Vous ne croyez pas que vous exagérez?

– Donc, il s'agit bien d'un homme... Je suis prête à parier là-dessus l'argent que je laisse au loto sportif chaque mois. Et faites-moi confiance: je saurai de qui il s'agit. D'ailleurs, ce n'est pas très difficile: ils ne sont pas si nombreux, à Harmony, les beaux garçons. Voyons un peu...

« La pauvre! Elle regarde trop la télévision! gémit intérieurement Annabella. Ces feuilletons lui auront tourné la tête! Heureusement que Tony ne risque pas de mettre les pieds ici! Quoi? Tony... »

Assommée par cette pensée, Miss Annabella s'effondra dans son fauteuil. A présent, elle comprenait pourquoi elle s'était vêtue de couleurs vives qui rehaussaient l'éclat de son teint... Mais hélas, trois fois hélas, il ne verrait certainement jamais le résultat. Tony l'avait sortie pour lui faire prendre quelques couleurs, lui avait dit son fait et rien de plus.

Du coup, le jaune pimpant de sa petite robe lui parut prendre des teintes grises. Tony ne viendrait plus la regarder puisqu'il n'était là qu'en vacances...

En cours d'après-midi, Tony alla faire un tour au petit bistrot où, adolescent, il avait passé bien des heures avec ses copains. L'endroit n'avait pas changé : tables au bois creusé de coups de couteau, sièges au cuir craquelé, le tout baignant dans une odeur de graillon. Tony sourit, tout attendri.

Il en avait fait, des bêtises, dans ce café. Il y avait flirté avec pas mal de filles, aussi. La serveuse de l'époque était toujours là. Bien qu'elle soit plus âgée, elle devait avoir autant de succès auprès des jeunes. Pour l'heure, les coudes affalés sur le comptoir, elle était plongée dans un livre.

– Gussie! On peut t'interrompre une minute?

La jeune femme se redressa et un beau sourire lui ourla les lèvres.

– Tony Russell! Bonjour, beau gosse! Alors, de retour au pays? J'me demandais si tu viendrais dire bonjour à ta chère vieille Gussie.

– Tu me connais, Gussie. Je n'aurais pas osé oublier de dire un petit bonjour à la plus jolie fille d'Harmony.

Ce disant, il balança la jambe par-dessus un tabouret en cuir rouge et s'y percha.

– Coca à la cerise?

– Et comment! Tu n'as pas oublié que c'était ma boisson préférée?

– Mais non, puisque tu étais mon client préféré, dit-elle en sortant verre et boîte.

– Qu'est-ce que tu lis?

– Un policier. J'adore ça et j'arrive presque toujours à deviner le coupable avant la fin. Miss Annabella en a deux étagères pleines, à la bibliothèque. Elle en achète très souvent de nouveaux, aussi. C'matin, j'y suis allée et je suis tombée sur celui-là. J'te parie que c'est le jardinier, qui a fait le coup! Tiens ton Coca.

– Merci, Gussie.

– Si tu veux savoir, ça m'a fait un choc de la voir comme ça, ce matin, Miss Annabella.

Le verre s'arrêta à mi-chemin des lèvres de Tony.

– Comment ça? fit-il avant de boire.

– Sur le coup, j'ai failli pas la reconnaître. Fichtre! Elle avait l'air...

– Comment?

– Ben... jolie, si tu veux. Elle a mis une robe jaune, t'imagines? Et un catogan jaune aussi. Si tu voyais les cheveux qu'elle a! D'ailleurs, je lui ai dit qu'elle était super comme ça.

– Qu'a-t-elle répondu au compliment?

– Elle a souri, tu parles! Et elle m'a dit merci. Quand je pense... Jamais je n'aurais pensé à lui dire deux mots à part bonjour et merci quand j'allais emprunter les livres. En plus, Mrs Perdy m'a dit entre « quat'z'yeux » qu'il y avait un homme, pour sûr, là-dessous. Paraît que ce n'est pas Ralph-nez-coulant. Et pour les commentaires, je t'assure que je n'étais pas la seule. Ça jasait, à la bibliothèque, ce matin!

Tony avala son breuvage en trois gorgées, puis il descendit de son perchoir et lança une pièce sur le comptoir.

– Ça m'a fait plaisir de te revoir, Gussie.

– Moi aussi, mon vieux Tony. Et tu sais... t'es plus beau que jamais. Faudrait penser à faire cadeau de tout ça à quelqu'un et à te remarier pour avoir des petits.

– Sûr, Gussie. Tu as raison. A plus tard.

Il parcourut en un instant les cinq cents mètres qui séparaient le bistrot de la bibliothèque. Il pénétra dans le bâtiment qui lui parut merveilleusement plus lumineux qu'autrefois. Il fit le tour de la salle des yeux : quelques lecteurs, dont Ralph Newberry qui se tamponnait furieusement le nez, mais pas trace d'Annabella.

C'est alors qu'elle émergea de son bureau.

De fait, elle resplendissait. Et lorsqu'elle s'arrêta pour regarder Tony, elle rayonna purement et simplement. Bravement, elle enjoignit à son cœur de reprendre ses battements réguliers, leva les yeux pour affronter le regard de cet homme et lui dit :

– Bonjour.

A nouveau, Tony fut bouleversé par cette voix qui semblait vibrer au fond de lui, pour mieux le caresser. Quelle voix sensuellement rauque!

– Vous avez changé, Annabella, dirait-on...

– Merci.

– De quoi?

– De quoi? Eh bien il me semble que lorsqu'on vous adresse un compliment, il convient de répondre « merci ». Non?

– Pourquoi portez-vous cette robe? demanda-t-il, une pointe d'agressivité dans la voix.

– Mais parce que cela me chante. On dirait que cela vous met de méchante humeur...

– Pourquoi cette robe pimpante, ces chaussures décolletées et cette coiffure relâchée? Que dois-je comprendre?

– Mais rien...

– Allons, ne jouez pas les ingénues. Je sais parfaitement que vous avez décidé de jeter la morale étriquée par-dessus les moulins et de voir un peu de pays. Je constate que votre petit copain Ralph Newberry est ici, le nez dans son Kleenex.

– Parlez moins fort, Tony... Je ne comprends pas ce qui vous met en colère. Pourquoi vous comportez-vous de la sorte?

– Je ne sais pas... Je pensais que vous m'en parleriez, que nous en discuterions et que vous ne changeriez qu'après.

– Mais je n'ai pas changé!

– Cette robe, selon vous, ce n'est donc pas un changement? fit-il, haussant dangereusement le ton, si bien que Ralph sursauta et fit tomber son livre. Eh bien?

– Chut..., siffla la jeune femme. Du silence...

Mrs Perdy sortit soudain du bureau.

– Il faut que j'y aille, Miss Annabella. L'heure de mon feuilleton, vous comprenez... Ça n'attend pas. Tony Russel, par exemple!

Elle lança un coup d'œil qui en disait long aux deux protagonistes et sourit.

– Aha! A présent, j'ai tout compris.

– Épargnez-nous les commentaires, grogna Annabella en levant les yeux au ciel.

– Tony, vous n'allez pas me contredire, tout de même... N'est-ce pas qu'elle est jolie comme un cœur, notre bibliothécaire? Et elle poursuivit, roucoulante: Je savais bien qu'il y avait un homme, dans l'affaire. Je suis peut-être une vieille dame mais ça ne m'empêche pas d'être fine mouche. Je vous souhaite une bonne soirée, lâcha-t-elle.

Mais, comme elle sortait à reculons pour leur adresser des petits signes d'adieu, elle faillit basculer par-dessus une chaise. Elle repartit ensuite dans le bon sens.

Annabella se pencha en avant et posa les mains à plat sur son bureau, dévisageant Tony, l'air contrarié.

– Vous êtes content, maintenant, hein?

– Moi? demanda-t-il en se croisant les bras sur ses pectoraux bombés. Je n'ai pas vendu la mèche à Mrs Perdy.

– Vous ne la connaissez donc pas? Au moindre prétexte, elle se monte son petit cinéma privé: nous voilà réduits au rang de personnages de roman rose. Je vous laisse imaginer à quoi elle attribue le fait que je porte une robe un peu plus légère, aujourd'hui...

– Non! Vous ne pensez pas vraiment que l'affaire en est à ce point! minauda-t-il avec une feinte innocence. Mais vous, au moins, vous allez pouvoir me donner une explication très valable.

– Certainement, cracha-t-elle. J'ai mis cette petite robe... parce que tel était mon bon plaisir!

Dans sa fureur, Annabella s'était mise à crier.

Effrayée, elle se pressa la main sur les lèvres. Trop tard! Outré, Ralph Newberry se leva et détala vers la sortie.

– Bon vent, Ralph. J'espère que vos allergies vont bientôt guérir, fit Tony.

– Vous perdez la tête, fulmina Annabella qui tourna les talons et partit d'un bon pas vers son bureau.

Tony se mit à ricaner. Un coup d'œil à la salle lui apprit qu'ils étaient seuls. Il se glissa donc, mine de rien, derrière le comptoir et dans le bureau. La jeune femme lui tournait le dos; elle redressait une pile de journaux qui n'en avaient nullement besoin.

– Ne croyez pas que je ne vous voie pas, Tony Russell. Mais je préfère vous ignorer. Jamais je n'avais crié dans une salle de lecture de ma vie, et je ne vous le pardonnerai pas.

– Vraiment...? Continuez à ne pas me voir et à ne pas m'entendre, ma chère. De mon côté, j'agirai à ma guise.

Et, déjà tout contre elle, il jouait avec sa chevelure, descendant le long du dos et remontant jusqu'à la nuque qu'il caressait délicatement. La jeune femme suffoquait, prise à son propre piège. Avant de succomber à cette odeur virile mêlée d'eau de toilette et de grand air, elle cria:

– Pitié!

– Pourquoi cette robe?

– Parce que le soleil m'avait donné des couleurs et que ce jaune pâle m'allait bien au teint, fit-elle d'un souffle.

– Je vois...

Il la fit pivoter et lui prit le visage dans les mains.

– On est en train de se transformer, pas vrai?

– Non, pas vraiment...

Mais les lèvres chaudes et fermes l'arrêtèrent en plein mensonge. Ses paupières s'abaissèrent tandis que ses mains montaient vers la taille mince et qu'elle se livrait à l'exigence de son baiser. Il l'attira contre lui afin de mieux profiter de ce corps moelleux qui le reposait et lui aiguisait les sens. Dieu qu'elle sentait bon! Progressivement, le bureau, la ville, l'univers s'estompèrent : ils étaient seuls au monde, avec cette folle volupté de leurs baisers.

Et tout à coup, Tony eut envie d'elle. Il était sur le point de s'emparer de ce corps qui ne résisterait ni à sa force ni à son désir.

Mais tout à coup, la bibliothèque abattit son décor frais et conventionnel autour de leur scène d'amour. Le sentant se rétracter, Annabella ouvrit les yeux.

– Tu me tourmentes, Annabella. Tu me tortures.

– Oui, je ne sais pas ce que nous... ce que tu... Pardon! Ce que vous... Mieux vaudrait ne pas nous revoir.

– Jamais de la vie! rugit-il, très réveillé, cette fois.

– Chut! On pourrait venir...

– Qu'ils viennent, tous, et je leur expliquerai, moi, que tu es en train de changer en profondeur et pourquoi! Cette robe en est une preuve éclatante.

– Quel obstiné, murmura Annabella qui ne savait s'il fallait continuer de le tutoyer ou non.

– Suffit! Nous nous expliquerons ce soir, au dîner. Et ne me dis pas que tu refuses l'invitation.

– Quelle invitation?

– Ce soir. Dîner. Sept heures. Moi venir chercher toi. Nous aller au *Relais de Poste*. Entre Harmony et Castle Grove. Toi pas oublier : moi passer sept heures. Message bien reçu?

Déjà, Annabella, qui était tout de même retombée sur ses pieds, riait comme une petite folle. D'autant que Tony roulait des yeux et grimaçait comme un chef indien en colère.

– Eh bien? Signaux fumée bien reçus?

– Oui, grand chef!

– Hugh! Grand chef content petite femme. Petite femme pas oublier joli petit chiffon jaune.

Il quitta le bureau, laissant Annabella effondrée dans son fauteuil. Elle entendit qu'on bousculait une ou deux chaises puis la porte retomba en chuintant sur ses gonds. Et, tandis que la journée s'achevait, Annabella poursuivit son travail, mais sans pouvoir s'empêcher de s'effleurer les lèvres du bout des doigts; sans pouvoir s'empêcher, non plus, de se caresser les avant-bras légèrement bronzés.

De retour chez lui, Tony se servit un verre de limonade et s'installa sur la balançoire du porche. Il ne savait plus où il en était.

Lui qui croyait qu'Annabella ne changerait que très lentement et pour lui seul, il était servi! Voilà qu'elle s'affichait aux yeux de tous dans une tenue printanière. Il se sentait floué. Annabella ne comprenait que trop vite; elle risquait donc de l'éliminer, lui, le conseilleur bien intentionné. Or, s'il souhaitait la voir évoluer, c'était pour lui seul.

Et pourtant... Avait-il réellement l'intention de rester, de l'inclure dans sa vie? Après tout, il n'était que de passage, à Harmony. Le temps des vacances...

– On te dirait prêt à exploser, mon garçon, remarqua Mike qui vint s'asseoir sur son fauteuil.

– Les femmes me rendront fou! grogna Tony.

– Tu parles des femmes en général ou d'une en particulier?

– Tu ne trouves pas que c'est bizarre, de se mettre en petite robe d'été, quand on n'en a pas l'habitude, papa?

– Si je te voyais dans cette tenue, je trouverais ça très bizarre, en effet.

– Très drôle... Je la quitte en gris et je la retrouve en jaune paille, qu'en dis-tu?

– Ma foi...

– Elle a décidé de tous les séduire, à Harmony, voilà ce qui me chiffonne! Elle me rendra fou.

Mary sortit de la cuisine.

– On a cherché à te joindre au téléphone, Tony. Houston Tyler, que tu as contacté. J'ai noté le message.

– Bon, je le rappelle. A propos, je ne dîne pas ici. Tu me prêtes la voiture, papa?

– Bien sûr, Tony.
– Tu sors, demanda Mary Russell.
– Oui, je dîne au *Relais de Poste*.
– Bonne idée, l'endroit est charmant et on y mange bien. Qui y emmènes-tu?
– La dame à la robe jaune, celle qui est en train de nous chambouler notre fils, précisa Mike.
– Comment? Tu parles par énigmes...
– Miss Annabella Abraham, ma chère. J'espère que j'ai bien deviné, pas vrai Tony?
– Quelle bonne idée! se récria Mary.
– On verra à la fin de la soirée si l'idée était bonne, bougonna Tony en se levant.
A son habitude, Mike se contenta de rire sous cape. Et tandis que Tony rentrait téléphoner, il expliqua la situation à son épouse.

Tony rappela donc Houston Tyler qui lui avait laissé un message durant l'après-midi. Houston avait épousé Noëlle Saint-John, de la Saint-John Enterprise, où travaillait Tony. Ce dernier avait été garçon d'honneur à leur mariage qui s'était déroulé dans le domaine superbe que possédait Noëlle : une île au large de la côte, dans le Maine, l'état le plus huppé des U.S.A.
Tony savait que cette union était des plus heureuses car ils avaient, l'amour aidant, surmonté leurs différences sociales. En effet, Houston – qui avait un jour dirigé sa propre entreprise – était technicien du bâtiment; par contre, Noëlle était née dans une famille extrêmement riche. Tous deux avaient donné le jour à Julie, une petite fille ravissante.

Houston apprit à son ami Tony qu'aux dernières nouvelles, un certain nombre de cadres supérieurs, chez Saint-John Enterprise, étaient intéressés par le *Cessna* qui était à vendre. Ils se donnaient encore quelques jours avant de décider s'ils souhaitaient voir l'appareil et le tester.

– Tu m'es d'un précieux secours, Houston.

– Il n'y a pas de quoi, Tony. Ces garçons aiment chasser. Le *Cessna* leur serait très utile pour aller d'un rendez-vous de chasse à l'autre. Et toi, comment se passent tes vacances?

– Très bien.

– Ce doit être agréable de se retrouver à la maison. Moi aussi, j'aime bien rentrer et revoir mon frère, ma sœur et leur conjoint.

– Oui.

– Tu n'as pas l'air dans ton assiette, mon vieux. Je te connaissais plus guilleret.

– Dis-moi, Houston, toi qui as l'expérience du mariage... Est-ce que tu as l'impression de mieux comprendre les femmes?

– Tu veux rire, Tony! s'esclaffa Houston. Je crois que je ne les comprendrai jamais, oui! J'aime Noëlle comme un fou, mais elle sait très bien que la moitié du temps, elle reste une énigme pour moi. Et pour la petite Julie, ça sera pareil : je ne la comprendrai probablement pas.

– C'est terrible, ça...

– Pas du tout! Détrompe-toi, je ne me plains pas. Je te donne un exemple : un soir, vois-tu, je suis rentré tard chez nous, dans l'île, parce qu'il avait fallu régler une foule de problèmes à la dernière minute. En plus d'être en retard, j'avais complètement oublié qu'on avait des invités.

– Je vois d'ici venir l'orage...

– C'est ce que tu penses... Eh bien figure-toi que j'arrive, tout sale, et que je tombe sur l'honorable assistance, en smoking et robe longue, s'il vous plaît. Ils en étaient au dessert. Je me suis dit que c'en était fini de notre couple.

– Où en est le divorce?

– Pas du tout! Noëlle s'est levée de table et elle s'est jetée à mon cou en me déclarant qu'elle s'était fait un souci terrible. Elle se moquait pas mal de se mettre de la terre sur sa jolie robe, du moment que je mangeais ce qu'elle m'avait mis de côté, pour moi, son mari adoré! Tu y comprends quelque chose, toi? Moi non plus. Alors je me contente de l'aimer et je l'aimerai jusqu'à mon dernier souffle.

Il y eut un instant de silence.

– Tony, je sens que c'est une femme qui te tracasse...

– Moi, par contre, j'aimerais bien comprendre. Je n'en suis que là, grogna Tony.

– Mais c'est fichu, je te le répète, mon vieux. La seule solution, c'est de savoir ce que toi, tu ressens. Ensuite, tu attends bien tranquillement que la surprise vienne toute seule. Laisse-toi aller, Tony.

– Comment veux-tu que je sache ce que je ressens, moi?

– Tu as déjà été marié, Tony, mais maintenant, tu es plus mûr. Tu as changé, aussi; les jeux et les enjeux sont différents. Ne t'obstine pas à vouloir la comprendre; acharne-toi à dégager le terrain en toi-même. Et puis... bonne chance, vieux.

– Merci. J'en ai bien besoin. J'ai le cerveau en compote.

– Tu t'en tireras, va. Bon, je te rappelle, pour l'avion.

– Merci de tes conseils, Houston.

Et il raccrocha.

« Ce que je ressens... Je le sais bien, ce que je ressens à propos de Miss Annabella. Mais me voilà bien avancé! »

6

– J'AI une idée! déclara Tony Russell en nouant sa cravate.

Il enfila ensuite un blazer bleu marine sur sa chemise Oxford bleu pâle et ôta une infime poussière qui s'était déposée sur son pantalon en flanelle grise.

Tout joyeux et tout pensif, il prit le chemin de la maison d'Annabella.

Quoi de mieux, en effet, pour s'assurer de ses propres sentiments, que de forcer la jeune femme à lui révéler les siens? Dans ce but, il l'empêcherait de se rétracter, de retourner à son état de vilain petit canard. Il fallait qu'en elle le beau cygne blanc continue à se déployer, même si elle semblait avoir peur de cette nouvelle personnalité qui émergeait en elle.

– Mais ça ne va pas être facile, dit-il à voix haute en s'engageant dans la rue de la jeune bibliothécaire. Elle a l'air très têtue et semble avoir les idées bien arrêtées.

Or, Tony savait – pour le sentir chaque jour

davantage – que dans ses bras, son corps se livrait de plus en plus...

– J'ai une idée! déclara Annabella Abraham.

Elle venait de se donner un dernier coup de peigne, de rajuster son joli ruban jaune assorti à la robe et maintenant, elle réfléchissait.

Elle n'était pas prête du tout à admettre que c'était pour les beaux yeux de Tony qu'elle avait changé d'apparence. Ce genre de transformation, elle était bien capable de l'effectuer toute seule et pour se faire plaisir à elle-même! Or, si elle ne se méfiait pas, le bel aviateur prendrait sa vie en main, la pousserait à être quelqu'un d'autre et elle se retrouverait totalement accrochée à lui, entièrement dépendante.

Mais il ne fallait pas oublier que le beau Russell n'était là que pour quelques jours. Bientôt, il serait reparti. Elle se retrouverait dans sa bibliothèque, à son club de couture ou à ses fourneaux pour les ventes de charité : bref, elle retournerait à la case départ.

– Tant qu'à faire, dit Annabella en s'arrêtant au milieu de sa chambre, autant se fabriquer de jolis souvenirs. Et pour se procurer des souvenirs agréables, une seule solution : vivre au maximum ses fantasmes et ses rêves avec l'homme splendide que m'a envoyé le destin. En un mot : vis ta transformation et ton histoire d'amour à fond, ma fille!

Cette idée lui parut si osée qu'elle secoua les mains et pouffa en se dandinant d'un pied sur l'autre, comme une petite fille espiègle. Il allait être surpris, Tony Russell! Elle allait se laisser embrasser, toucher et peut-être même davantage... sans montrer le moindre scrupule. D'ailleurs, était-ce malhonnête, était-ce de la manipulation? Non, puisqu'elle serait ce que Tony voulait qu'elle soit; et ensuite, les vacances finies, chacun repartirait le cœur content.

C'est à ce moment-là qu'elle entendit les pneus crisser dans l'allée. Sentant son cœur s'affoler, elle s'efforça de respirer calmement et, au lieu de crisper les épaules, de bien les décontracter. On frappa à la porte. Parfaitement à l'aise, cette fois, Annabella s'en vint ouvrir.

« A nous deux, Tony Russell! »

Le *Relais de Poste* était une ancienne étape de diligences à laquelle les propriétaires successifs avaient su garder le côté cossu et campagnard. L'auberge était renommée pour ses côtelettes d'agneau. C'est donc ce que commandèrent Tony et Annabella. Une fois le vin choisi – et goûté – ils bavardèrent à propos des préférences livresques des abonnés de la bibliothèque. Annabella s'enflammait, ses yeux brillaient, elle agitait les mains pour se faire mieux comprendre tant le sujet la passionnait. Tony l'admirait, tout bonnement. Après quoi il lui déclara qu'on avait peut-être trouvé deux acheteurs, pour le *Cessna*. La jeune femme le remercia du fond du cœur de lui ôter cette épine du pied.

– Tu as pourtant là un beau petit appareil.

– Encore faut-il aimer les avions, dit-elle, un sourire aux lèvres.

En réalité, Annabella souriait parce que les plats arrivaient et, comme elle n'avait pas déjeuné, elle mourait de faim. On n'entendit plus que le cliquetis des couverts durant cinq minutes puis :

– Pourquoi cette peur de monter dans un avion, Annabella? Le premier jour, tu m'as dit que tu n'avais jamais volé. Est-ce parce qu'une de tes connaissances a eu une traversée mouvementée, un accident?

– Non, je n'ai jamais volé, et personne à ma connaissance non plus. D'abord je ne saurais où aller et ensuite, cela me fait peur de penser qu'on peut se trouver si loin du sol. Si un incident se produit...

– Tu n'as jamais essayé : il t'est donc impossible de juger.

La jeune femme s'interrompit puis elle se contenta de hausser les épaules.

– Sans doute, oui. En tout cas, le dîner est succulent.

– Très bon, oui. Annabella, je voudrais te parler.

– Mais c'est ce que nous sommes en train de faire, Tony!

– Je souhaite aborder un sujet très particulier. D'accord?

– Bien sûr.

– J'ai très bien compris que tu refusais d'avouer ce qui t'a poussé à mettre cette robe.

– Mais je...

– Une minute..., l'interrompit-il en levant la main. Écoute encore une minute.

– Excuse-moi. Tu as raison, c'est impoli d'interrompre les gens.

– Bon. Donc, je comprends que ce n'est pas une mince affaire, de changer; cela peut même paraître effrayant. A tel point qu'on préfère souvent poursuivre selon sa routine plutôt que d'affronter l'inconnu.

Il se tut un instant, au cas où sa compagne aurait voulu y aller de ses commentaires. Mais non. Le visage impassible, elle grignotait sa côtelette du bout des dents.

– La remarque que je voudrais faire c'est qu'en niant les changements que tu effectues dans ta vie, tu finiras par ne plus en effectuer du tout. Ce qui ne serait pas honnête, ni envers toi ni à mon égard. Nous aimons être ensemble mais si tu n'admets pas que tu es en train de changer, il n'y aura plus de place pour moi, dans ta vie.

Annabella croquait à présent une feuille de salade, les yeux fixés sur lui. Tony sentit la sueur lui couler le long de l'échine tandis qu'il reprenait la parole :

– Aussi, je te demande de nous laisser une chance. Reconnais-le, Annabella, tu te transformes; et à mesure qu'il te vient d'autres idées, mets-les en pratique. Laisse-toi porter par ce courant sans toujours songer à vouloir te raccrocher à ton mode de vie usuel. Et accepte de parler de cela.

La jeune femme dit, avec un charmant sourire :

– D'accord. Tu peux me passer le sel?

– Que dis-tu?

– Le sel. Il est là, près de ton coude.

Tony saisit la salière et la lui passa.

– Tu viens juste de dire « d'accord ». Peux-tu préciser?

Annabella haussa les épaules, désinvolte.

– Cela signifie « D'accord, je ferai ce que tu me demandes. »

– Et qu'est-ce que je te demande...?

– Tu ne te souviens pas de tes paroles?

– Si, mais je voulais être bien certain que nous étions sur la même longueur d'ondes, Annabella.

« N'aie crainte, songea la jeune femme. On dirait que tu lis dans mes pensées, Tony. La seule chose que tu ignores, c'est que ces modifications seront, de mon côté, temporaires. Histoire d'accumuler de bons souvenirs et puis ciao! »

– Annabella...

– Oh! Tu m'as fait peur. J'étais en train de penser... Bon, d'accord, je reconnais avoir un peu changé; et à l'occasion, j'essayerai de me laisser davantage aller. Cela risque d'être un peu effrayant, mais je serai courageuse et je tiendrai.

Progressivement, Tony s'effondrait contre son dossier. Les yeux hébétés, il lâcha, la voix toute molle :

– Pincez-moi!

– Puïs-je avoir le poivre, maintenant, si ce n'est pas trop te déranger? Ton autre coude! Oui, merci. Mais pourquoi me regardes-tu, bouche bée?

Il lui tendit le poivre sans y penser et, se redressant un peu :

– Je n'arrive pas à croire que tu acceptes avec autant de facilité. Moi qui m'imaginais avoir besoin de toute la soirée, pour défendre mon point de vue! Annabella, tu es merveilleuse!

Il semblait aux anges. Le pauvre... Il ne se doutait pas que devant lui se dressait une comédienne accomplie. Comédienne pour éviter de souffrir, il faut le dire, mais comédienne quand même.

– Merci, Annabella... Infiniment.

Il plongea les yeux dans les siens et Annabella en eut le souffle coupé. La chaleur et la tendresse qu'elle lut dans les yeux de Tony lui chavirèrent le cœur qui partit dans une danse endiablée. Le désir bouillonna, si bien que la jeune femme se demanda s'il en percevait l'intensité. Elle n'avait plus qu'une envie : celle de se laisser embrasser, serrer contre ce grand corps, s'abandonner à sa tiédeur et à sa force... Enfin, elle avait envie de lui.

« Ces yeux..., gémit Tony qui percevait fort bien les mouvements qui agitaient Annabella. Comme elle est belle... Si cela continue, je ne pourrai plus me tenir convenablement. Et si elle prononce un seul mot de sa voix rauque de femme fatale, je suis un homme mort. »

– Tony...

Il se prit le front à deux mains, ce qui affola Annabella.

– Qu'as-tu, Tony?

Il releva la tête avec lenteur et émit un pauvre sourire.

– Ce n'est rien, je t'assure... D'ailleurs, tu prendras bien un dessert? J'aperçois le serveur; il n'y a qu'à le héler.

– Madame? Monsieur?

– Je désire un sorbet framboise, garçon.

– Moi aussi, bafouilla Tony.

– Prendrez-vous du café, ensuite?

– Oui, un déca.

– Pour moi aussi, renchérit Annabella.

L'homme disparut.

– Je trouve ton attitude bizarre, tout à coup, s'émut Annabella.

Mais le serveur qui revenait déjà évita à Tony de répondre.

– Tu ne m'as pas répondu, Tony. Ne crois pas que ça m'ait échappé.

– Soit! Tu veux la vérité, eh bien la voici: lorsque tu me regardes avec tes grands yeux langoureux et que ta belle voix très sensuelle se fait entendre, je suis parfois beaucoup plus troublé qu'il ne le faudrait. Voilà ce qui vient de m'arriver, il y a une minute.

– Une voix sensuelle, moi? se récria Annabella, et cette fois, son contralto ressemblait plutôt à un couinement.

– Parfaitement. Et si tu veux d'autres précisions, en plus de ta voix, il y a ta beauté dont tu n'as pas idée et tes grands yeux: tout cela me donne envie de toi à un point...

– Mon Dieu..., soupira-t-elle en pâlissant et en portant la main à son cœur. Il ne faut pas dire ces choses dans un lieu public, Tony. Tu vas me faire mourir.

– Je maintiens mes paroles.

Rassurée, la comédienne se reprit et, lui souriant d'un air coquin :

– Alors, comme ça, il paraît que j'ai une voix sensuelle?

– Arrête d'imiter Mae West, sinon je succombe. J'ai vérifié, les pieds de la table ne résisteraient pas, si j'y sautais pour t'attraper...

– Délicieux, ce sorbet. Et le tien, Tony, il est à ton goût? demanda-t-elle en léchant à petits coups la glace sur sa cuiller. Tu peux continuer, tu sais. Moi je mange, mais que ça ne t'empêche pas de parler.

Du coup, ne sachant plus à quel saint se vouer ni quel était celui qui jouait la comédie, Tony se rabattit sur sa glace qu'il enfourna le plus vite possible.

– Puisque tu n'as plus rien à dire, et que nous sommes dans un pays où les femmes sont des êtres émancipés, je te déclare tout net que moi aussi, Tony chéri, j'ai envie de toi.

Tony était en train de boire une gorgée d'eau : le verre se mit à tinter de façon répétée contre ses incisives. La partie s'annonçait corsée.

– Tu as envie de moi? répéta-t-il en postillonnant sur la nappe.

– Je précise qu'il y a malgré tout une certaine différence entre ce qu'on dit et ce qu'on fait. Par exemple, je pourrais dire que j'ai envie de braquer une banque, mais ça ne signifie pas que je le ferai vraiment.

– Mais enfin, Annabella, aucun rapport, voyons!

– Certes, mais c'était pour bien me faire comprendre.

– Tu ne l'as jamais fait, non?

– Braquer une banque? Et si je te disais oui?

– Mais non... Tu n'as jamais... euh... enfin... avec un homme, un monsieur, quoi?

– Cher ami, voyez-vous, il n'y a que dans l'Ouest que l'on demande à une personne du beau sexe ce genre de choses crues. Ici, nous ne sommes que dans le Middle-West.

– Blague à part, Annabella...?

– Euh...

– Je connais la réponse!

– M'étonnerait!

– Est-ce que tu es impatiente?

– Petit goujat!

– Allez, ne joue pas les Betty Boop, Minnie Mouse et Olive réunies! Tu m'échauffes les sangs par des aveux brûlants en plein restaurant et après, quand je te pose des questions de détails pratiques, tu minaudes. Tu es dure, envers moi, Annabella!

– Admettons que... je sois normalement impatiente.

– Voilà une belle contradiction... Formulons la chose autrement : as-tu follement envie d'avoir un mari, des enfants, un foyer?

« Il me tuera! » gémit Annabella en son for intérieur. Elle se sentait devinée jusqu'à l'âme. Au lieu de se dévoiler, elle déclara d'une voix... de bibliothécaire :

– Nos désirs ne sont pas toujours conformes à

la réalité qu'il nous est donné de vivre. Toi-même, Tony, tu me disais que ta vie se déroulerait peut-être dans la solitude, bien que tu n'en aies pas forcément envie.

– Justement : voilà pourquoi il faut lutter. On n'est pas obligé de subir.

– Parfois, cela ne change rien au résultat. Il faut donc se résigner à vivre.

– N'oublie pas que toi, Annabella, tu as accepté d'évoluer, de te battre, en quelque sorte. Tu ne l'oublies pas, si?

– Non, non, je n'ai pas oublié, dit-elle d'une voix faussement désinvolte.

– Bon.

Bras croisés sur la table, Tony la regarda achever son dessert. Tous deux s'absorbèrent dans leurs pensées, méditant leur tactique respective pour profiter de l'autre en souffrant le moins possible.

– Délicieux, ce sorbet, déclara enfin Annabella, ramenant son compagnon sur terre. Tony, tu me gâtes, merci.

– Avec plaisir. Dans ce cas, viens déjeuner avec moi chez Gussie, demain.

– Voilà qui tombe mal! se récria Annabella. J'avais prévu de prendre enfin les jours de vacances auxquels j'ai droit depuis belle lurette. Mrs Perdy doit me remplacer, à la bibliothèque, et si elle ne peut pas, elle fermera l'après-midi. Tant pis pour Ralph Newberry : il ira renifler ailleurs, moi je vais à Tulsa.

– Je peux savoir pour quoi?

– Oui, monsieur : je vais faire un brin de shopping. Ma garde-robe est déjà démodée.

– Tu te moques encore une fois de moi, Annabella, je le sens.

– Il ne s'agit pas d'une plaisanterie, Tony. Je ne prétends pas être très rassurée, mais je t'assure que je vais à Tulsa demain.

– Dans ce cas, je t'accompagne.

– Quoi?

– Je ne souhaitais pas m'imposer mais à mon avis, on est mieux à deux pour choisir. Toi tu essaies, tu te pavanes, et moi je critique, je discute avec la vendeuse... Plus pratique, non?

– Je t'imagine très bien, riant comme un bossu et t'amusant à me faire passer les tenues les plus extravagantes pour que j'aie l'air d'un clown. Mais c'est bon. J'ai promis; il ne me reste qu'à accepter. Tu peux venir, Tony, j'endurerai, le sourire aux lèvres.

– Arrête ce cinéma : si tu crois que je ne le vois pas, ton sourire, en ce moment! Soyons honnêtes, Annabella!

– Soit, j'admets que ta présence me rassurerait. Il me semble qu'à deux, nous irions plus loin dans les changements.

– Je me livrais justement à la même réflexion.

– Je passe te prendre à huit heures du matin, Tony, tu veux?

– Quelle énergie! Oui, Miss, je serai prêt à huit heures pile.

– J'espère que tu ne t'ennuieras pas trop.

– Aucun risque, en ta compagnie. D'ailleurs, si

tu as fini, nous pourrions aller faire un tour, avant de rentrer, ce soir.

– Je sais qu'on est dans les environs d'Harmony – c'est-à-dire en pleine brousse – mais justement, est-ce bien prudent? Mais si tu m'accompagnes, dans ce cas... J'ai tellement l'habitude d'être toute seule... Oui, une promenade, ça me plairait.

Et ils cheminèrent, au clair de lune, tandis que Tony lui racontait des anecdotes d'enfance si drôles qu'elle riait aux éclats, pendue à son bras. Elle le sentait, à son côté, détendu, solide, rassurant. Il s'arrêta près d'un orme, certainement l'un des rares qui survivent, au monde.

– Quand j'avais huit ans, j'ai essayé d'embrasser Patty Sue Mayfield sous cet arbre. Elle m'a envoyé un de ces coups de poing... J'en ai eu un cocard pendant quinze jours. J'ai alors juré de ne jamais plus m'occuper des femmes plus âgées. Patty Sue avait dix ans, ce qui était bien trop vieux.

De nouveau son rire perlé monta dans la nuit. Tony se plaça face à elle et lui dénoua les cheveux.

– Dis-moi, Miss Annabella Abraham..., murmura-t-il, si je t'embrassais là, sous cet arbre, au clair de lune, tu m'enverrais un coup de poing?

– Non, fit-elle dans un souffle.

– Je suis heureux de te l'entendre dire.

Et, tandis que ses doigts jouaient avec la belle chevelure qu'il lui ramenait sur les seins, sa bouche happa celle de la jeune femme. Ils se burent des lèvres à longs traits voluptueux.

Lorsque leurs bouches se quittaient, leurs corps se frottaient fiévreusement l'un contre l'autre. La passion les enflammait car ils savaient fort bien que ces gestes fous n'étaient que les prémices de folies plus grandes encore auxquelles il faudrait bien sacrifier. Ils n'avaient qu'à y consentir...

– Annabella, si tu savais... Mais à quoi bon te le dire, puisque tu le sais déjà?

– Je...

– Non, surtout pas... Je t'accompagne et nous nous dirons au revoir sur le pas de ta porte. Je n'oublierai pas cette soirée.

– Un très beau souvenir, oui. Car c'est déjà un souvenir. Quelle heure est-il?

– Onze heures et demie, annonça-t-il en orientant sa montre vers la lune.

– Il y a si longtemps que je ne me suis pas couchée aussi tard...

Cela amusa Tony qui lui passa le bras autour des épaules et la serra tendrement contre son flanc.

– Nous en sommes à l'ère des changements, Miss Annabella.

– Oui, monsieur Russell, acquiesça-t-elle, mélancolique.

Mais lorsqu'il ne serait plus là, que deviendrait-elle, elle qui avait accepté de changer de trajectoire pour lui? Retrouverait-elle ses propres sentiers battus, ceux qui la rassuraient, ceux de toujours?

7

Il avait pris le volant. Annabella pouvait donc l'admirer tout son soûl, son beau pilote.

Ses épaules carrées et ses pectoraux très musclés tendaient la chemise de toile grise dont il avait laissé le col ouvert. Chaque fois qu'il passait les vitesses, les muscles roulaient sous le pantalon noir et il lui effleurait la cuisse de la main. Les sens à fleur de peau, Annabella s'abandonnait. Tony semblait lui aussi se délecter de sa présence car il lui souriait d'un air conquérant.

A nouveau il embraya, l'envoyant chavirer sur un petit nuage de bonheur. Tout en roulant, ils bavardaient. De tout et de rien, bien sûr, mais Tony avait l'art de s'intéresser à ses moindres propos, de sorte qu'Annabella commençait à se dire qu'elle était peut-être intéressante. Ils étaient tellement occupés à se découvrir mutuellement qu'ils faillirent oublier le but initial de leur course. Heureusement, à Tulsa, la circulation était si dense que Tony se concentra sur sa conduite. Étant natif de la région, il connaissait la ville aussi bien qu'Annabella et il trouva très vite le centre commercial.

Ils se garèrent et Annabella lui prit le bras. Aussitôt elle eut peur : Tony Russell semblait avoir retrouvé sa personnalité désinvolte d'homme qui fréquentait la jet-set et les richissimes capitaines d'industrie mais aussi les créatures sophistiquées. Oui, elle eut peur, la petite bibliothécaire d'Harmony, au bras de ce mondain.

Mais l'heure n'était-elle pas au changement? Pourquoi, dès lors, ne moulerait-elle pas son comportement à celui de Tony? Au bras du prince, ne devenait-elle pas princesse à son tour?

– Voici l'allée commerçante, annonça-t-il, la ramenant sur terre.

Il s'y engagea. Tony se sentait très détendu. Durant le trajet, il s'était laissé bercer par la voix somptueuse de sa compagne, par son intelligence vive et sa vaste culture. C'était un avantage, d'être bibliothécaire. Il ne se lassait pas d'elle, de cette personnalité si riche et sans afféterie. Il avait le sentiment de l'avoir connue depuis toujours, de pouvoir lui confier ses préoccupations intimes et d'être compris.

Tony n'avait formulé aucune remarque en constatant qu'elle avait à nouveau revêtu son costume de petit moineau – robe brune et mocassins marron. Elle ne devait avoir qu'une tenue de fête et ne pouvait évidemment l'afficher tous les jours. Mais la petite bibliothécaire n'était pas au bout de ses surprises avec lui!

Et la valse commença! On n'oublia pas une boutique.

Telle une fillette qui apprend à être coquette, Annabella laissait Tony lui sortir des robes pimpantes, parfois même excentriques.

– Voyons, dit-elle en sortant d'une cabine d'essayage. On va croire que je fais de la publicité pour *Le Barbier de Séville*, avec cette robe à raies rouges et blanches qui ressemble à l'enseigne des coiffeurs!

– Essaie celle-ci.

– De petites fleurs vertes sur fond rose pâle? Oui, c'est chic. Je cours la passer.

De fait, celle-ci la flattait. On l'emporta. Au bout de deux heures, il fallut déposer les paquets dans le coffre de la voiture tant il y en avait.

– Je te suggère d'aller déjeuner. L'après-midi sera consacré aux marchands de chaussures, entendu?

– Bien, mon capitaine!

– Tu plaisantes, j'espère... N'oublie pas que nous sommes ici pour nous amuser. Une femme jolie comme toi mérite de porter des vêtements attrayants.

– Quand je me regarde dans la glace, je n'arrive pas à croire que c'est moi qui évolue dans ces toilettes. Tu es un magicien, Tony. Quand tu me regardes, je me sens attirante.

– Il serait grand temps que tu t'en rendes compte! soupira-t-il en pénétrant à sa suite dans un restaurant spécialisé dans les grillades accompagnées d'épis de maïs – deux des principales productions de l'état d'Oklahoma.

Au retour, Annabella reprit le volant de son auto et, lorsqu'elle s'engagea dans la rue des parents de Tony, la nuit était tombée.

– Veux-tu que je prenne la voiture de mon père? Je pourrais ainsi te suivre et t'aider à décharger la tienne? Tu sembles fatiguée.

– Non, je m'en tirerai.

– C'est bien sûr, ce mensonge?

– Oui, Tony. Je te remercie, pour cette journée. Sans toi, je serais probablement rentrée à la maison bredouille.

– Je me suis vraiment détendu en t'aidant à renouveler ta garde-robe. Et tu sais..., ajouta-t-il en se tournant sur son siège pour mieux la voir, je pense comme toi qu'il ne faut pas attacher trop d'importance à l'apparence extérieure. Cependant, notre façon de nous habiller révèle souvent notre état intérieur. L'image que nous nous créons nous influence et nous donne plus ou moins confiance en nous.

Annabella hocha la tête sans mot dire.

– Que tu sois parée d'une belle robe ou affublée d'un sac de pommes de terre, je saurais de toute manière qui tu es, à l'intérieur. J'ai l'impression de te connaître depuis toujours, et cela me plaît. Ces vêtements que tu viens d'acheter sont un cadeau que tu te fais à toi-même, parce que tu les mérites. J'aime à te voir si belle, mais si par hasard tu décidais de jeter tout ça par la fenêtre, cela ne changerait rien, pour moi. Tu comprends?

– Oui, murmura-t-elle d'une voix presque inaudible.

– Ce que tu fais, fais-le avec amour et pour toi-même.

« Il n'a donc pas compris que ces transformations, c'est pour lui que je les effectue, déplora la jeune femme. Pour ces quelques jours qu'il nous reste à vivre ensemble. Pourquoi prétend-il que ces vêtements n'ont aucune importance? On dirait qu'il sait que pour moi non plus, ils n'en ont pas, puisque je ne sais plus qui je suis lorsque je les porte. Faire cela pour moi! Il en a de bonnes! Je ne sais comment m'y prendre... »

– Tu m'écoutes, Annabella?

– Oui, mais je suis un peu fatiguée.

– Je n'en doute pas. Aussi vais-je te dire bonsoir.

Il lui donna un baiser qui laissa la jeune femme tremblante. Qu'il était dur de se quitter après pareille étreinte!

Et c'est dans un état d'affolement intérieur insensé qu'Annabella regagna la petite maison de brique.

Tony trouva ses parents paisiblement installés sous le porche.

– Dis-moi! Tu n'as pas dû t'ennuyer puisque tu rentres si tard, commenta Mary en le voyant arriver. Je ne savais pas que ça t'amusait, de faire les courses...

– Moi non plus, répondit Tony en s'installant comme toujours sur sa balançoire. Je n'avais encore jamais accompagné une femme qui faisait les boutiques. Misty ne me le demandait pas et je n'ai jamais eu l'idée de la suivre. Aujourd'hui, c'était une grande première.

– Alors?

– Quelle expérience! Après avoir un peu cafouillé, au début, en lui faisant essayer une robe rayée rouge et blanc, je m'y suis mis si bien que je devinais à l'avance ce qui conviendrait à Miss Annabella. Elle en a, maintenant, des tenues extraordinaires... Et quelle allure! Mais je l'ai quittée épuisée. Je l'ai vraiment poussée hors des sentiers battus...

– Pourquoi? lui demanda Mike.

– Que veux-tu dire, papa?

– Pourquoi as-tu insisté pour que Miss Annabella transforme sa garde-robe?

– Je n'ai pas insisté. Vous interprétez de travers. J'ai agi avec Annabella comme tu as agi avec moi, papa : je lui ai signalé qu'il était peut-être temps de faire le point et de décider si sa vie était vraiment telle qu'elle la voulait.

Mike tapota sa pipe contre le bord du cendrier.

– Je vois, dit-il. Ma foi, si je t'ai parlé de ta vie, c'est parce que je t'aime. Mais toi, quelles raisons avais-tu d'aborder cette question avec Miss Annabella?

– Eh bien... c'est que... je tiens à elle. Je lui ai simplement fait observer que si elle le voulait, elle pourrait obtenir davantage de l'existence. L'idée de renouveler sa garde-robe est venue d'elle : tu peux donc constater qu'elle est décidée à changer quelque peu.

– Et pourquoi?

– Pour elle-même.

– Tu en es certain, Tony? Et si c'était pour toi,

uniquement, qu'elle évoluait? Quand Miss Annabella reviendra sur terre, elle risque de beaucoup souffrir. Ça ne me plairait pas du tout.

– Souffrir? Par ma faute? Mais papa, je n'ai pas du tout l'intention de lui faire du mal!

– Parfois, intervint Mary d'une voix douce, cela arrive sans qu'on y prenne garde.

– J'y tiens, moi à Annabella Abraham, vous comprenez? protesta Tony en se dressant. Je tiens terriblement à elle et je n'ai pas l'intention de la laisser récolter de la souffrance. D'ailleurs, je me moque pas mal du genre de vêtements qu'elle porte quand je la prends dans mes bras... Et puis, oublions cette histoire. N'en parlons plus.

Ce fut Mary qui l'apaisa d'un mot gentil:

– Oui, mon chéri, oublions cela.

– Et toi, papa, tu n'as pas de commentaires?

– Non, déclara Mike en se croisant les mains sur l'estomac et en se rencognant dans son fauteuil, l'air satisfait. J'ai découvert ce que je voulais savoir.

– C'est-à-dire?

Mais Mike se contentait de sourire.

– Dans ce cas, je vais au lit, moi, décida Tony. Je me demande parfois comment je suis encore équilibré, étant donné les parents que j'ai!

– Ça par exemple! A-t-on jamais rien entendu de plus drôle? s'écria Mary qui éclata de rire.

– Bonsoir, la famille Russell, grogna Tony.

Et le bon rire de ses parents le poursuivit jusqu'à ce qu'il ait regagné sa chambre.

Un petit bruit attira l'attention de Tony. L'ombre s'approcha.

– Je me doutais bien que je te trouverais là, fit Mike. A deux heures du matin... Qu'est-ce qui se passe?

– Je ne pouvais pas arriver à m'endormir, papa. J'ai préféré me relever pour venir prendre le frais.

– Je n'ai dit que ce qui devait être dit...

– Je sais, papa. Et j'espère un jour acquérir ta sagesse, ce qui n'est pas évident.

– Bah... La sagesse arrive en son temps. C'est le couronnement d'années passées à aimer et à être aimé. Alors, où en es-tu?

Tony exhala un long soupir puis il avoua:

– Je l'aime, papa. J'aime Annabella.

– Naturellement. Mais je voulais simplement savoir si tu l'avais compris, toi. Quel effet cela te fait-il? poursuivit Mike qui gagna l'entrée du porche, d'où il contempla le ciel où boutonnaient les étoiles.

– Un effet étrangement confus. D'un côté j'ai envie de le crier en place publique, de foncer réveiller Annabella pour le lui apprendre et soudain... le doute revient au galop. Et si tu avais raison, papa...? Si Annabella était en train de se transformer pour moi, non pas pour elle-même? Ce serait merveilleux de savoir qu'elle tient à moi à ce point, mais c'est dangereux. Il vaudrait mieux qu'elle agisse pour elle.

– Tu vois, c'est exactement ce que je viens de dire: la sagesse vient en aimant. Tony, mon garçon, tu es un sage. Et maintenant que j'ai appris ce que je voulais apprendre, je repars me coucher.

– Mais alors...? Tu ne m'aideras pas?

– Non. Tu n'en as pas besoin. Je sens que tu ne te tromperas pas.

– Ravi de te l'entendre dire. Pourtant, je n'ai pas la moindre idée de la façon dont je vais procéder. Il y a tant de questions qui restent encore sans réponse...

– Eh bien prends les choses calmement. Écoute, observe, fais attention : voilà tout ce que je peux te conseiller. Et puis... n'as-tu pas découvert que tu aimais Annabella en écoutant simplement ton cœur? Or dans le cœur, on trouve bien plus de réponses qu'on l'imagine.

– Je le souhaite.

– Moi je le sais. Bonne nuit.

– Bonne nuit encore, papa. Et merci. Merci de tout cœur.

– A ta disposition... Un jour, tu auras des enfants à qui tu transmettras la bonne vieille sagesse.

– Je tiens à toi, papa.

– Moi également. Ainsi qu'à ton bonheur...

– Ah je ris, de me voir si belle, en ce miroir! s'écria Annabella en battant des mains.

Elle était si surprise de découvrir l'être ravissant qui lui apparaissait, vêtu d'une jolie robe à fleurs, dans son miroir, qu'elle poussait la chansonnette, telle la Castafiore doublée d'une Marguerite.

En plus, elle se trouvait délicieusement féminine. À tel point qu'elle se demanda si ce n'était pas pécher, de se rengorger pareillement de sa petite personne. Comme une petite fille dont on interrompt le jeu favori, elle s'arracha à la fascination de son reflet et partit se préparer une tasse de thé.

De toute façon, ces vêtements, sans le regard appréciateur de Tony, n'avaient aucune valeur. Donc, si elle les portait pour lui, si elle s'admirait, cela n'avait rien de répréhensible. Ce n'était pas pour elle; c'était pour l'homme qu'elle chérissait.

La belle excuse!

– Qu'elle est jolie, cette robe, se récria Mrs Perdy en joignant les mains sur son buste rebondi. Vous ressemblez à l'héroïne de mon feuilleton, Miss Annabella. Maintenant que j'ai découvert l'origine de ces transformations, je comprends mieux. Ah! Ce Russell! Il en a brisé des cœurs! Mais vous avez bien raison de vous pomponner comme ça : vous le méritez, ce beau garçon, et il faut qu'il le sache.

– Ce n'est pas entièrement à cause de lui. C'est aussi pour la bibliothèque, bafouilla Annabella qui ne se rendait pas compte qu'elle était souvent en contradiction avec elle-même. Je ne sais d'ailleurs même pas si je le reverrai. Il ne vient presque jamais à la bibliothèque.

– Eh bien la bibliothèque vous remercie. Voyez-vous, ma fille... Permettez-moi de vous appeler ma fille, à moi qui ai bien des années de plus que vous... Ma fille, voyez-vous, nous vous remercions de vous épanouir enfin : la surprise et le résultat sont très agréables.

– Vous ne croyez pas que je me fais un peu remarquer?

– Mais il serait temps, ma fille!

– Bonjour, Miss Annabella.

– Tiens, bonjour, Ralph.

– Je n'en reviens pas, Miss Annabella. S'agit-il vraiment de vous?

– Mais oui, Ralph. Vous venez encore m'emprunter un Kleenex?

– Non, merci, Miss Annabella. Aujourd'hui, j'ai ma boîte de mouchoirs. Ainsi, donc, c'est la vérité?

– Quoi donc, Ralph?

– Qu'il se trame quelque chose entre Tony Russell et vous? Je l'ai vu de mes yeux, l'autre jour, et j'ai entendu dire en ville que vous aviez passé des heures avec lui, à Tulsa. Je sais qu'un homme comme moi, qui est sans cesse martyrisé par d'abominables allergies, n'a aucune chance. Et pourtant, j'avais cru un instant, Miss Annabella... Hélas, à présent je vous vois, radieuse, dans votre jolie robe à fleurs, et je me dis que ce printemps artificiel ne ferait probablement que renforcer mes allergies. Tony Russell en a de la chance, d'être en bonne santé!

Au fou rire qui commençait à la gagner devant cet être pathétique et égoïste qui geignait, Annabella mesura l'étendue de son changement intérieur : elle ne le plaignait plus. D'ailleurs, il commençait à l'agacer, avec ses commentaires mielleux.

– Voyez-vous, Ralph, cette robe, je la porte parce que cela me fait plaisir. Et que ce soit Tony Russell qui en profite, rien ne nous le dis. Le voyez-vous dans la salle? Non? Moi non plus. Savez-vous pourquoi? Non? Tout bonnement parce que lorsque je change de toilette, c'est pour me faire plaisir à moi-même.

– J'aurais pensé que c'était pour un homme... Sinon, je ne vois pas l'intérêt, soupira le rat de bibliothèque en retournant se murer derrière sa pile de livres.

Mais il eut le temps d'entendre la jeune femme sur laquelle il avait eu des vues grommeler à Mrs Perdy :

– Qu'il aille se moucher dans son coin, ce vieil hypocondriaque!

Ralph Newberry comprit alors qu'il avait nourri de faux espoirs. Il feuilleta quelques ouvrages sans enthousiasme et, au bout d'une demi-heure, il détala.

8

Et la journée se poursuivit, interminable aux yeux d'Annabella. Mrs Perdy était rentrée chez elle, mais avant de partir, elle lui avait tapoté la main avec une telle gentillesse qu'Annabella avait failli se jeter dans ses bras pour y pleurer tout son soûl.

Telle une âme en peine, la bibliothécaire vaqua à sa routine, enregistrant les livres qui rentraient, puis les rangeant sur les rayonnages. Les lecteurs ne manquaient pas de la complimenter sur sa jolie robe, si bien qu'à force de sourire en retour, la jeune femme en avait des crampes aux joues.

Elle s'en voulait d'être sortie de ses gonds avec le pauvre Ralph. Ce n'était pas son genre, d'interpeller les braves lecteurs. Mais quand même... Il avait exagéré! D'ailleurs, s'il était resté davantage, elle aurait eu plaisir à passer ses nerfs sur ce grincheux. Non, décidément, Annabella Abraham ne tournait pas rond!

« Qui es-tu, Annabella? » se demanda-t-elle brutalement. Question terriblement troublante... A tel point qu'elle dut poser la pile de livres qu'elle s'apprêtait à ranger pour s'asseoir sur une chaise. Voilà ce qui arrive lorsqu'on change de trajectoire, poursuivit-elle. La jeune femme avait renoncé à tant de petits plaisirs, au cours de son existence grise, qu'elle était parvenue à se contenter d'un rien. Mais soudain, la vie lui faisait un cadeau merveilleux: le beau Tony Russell lui était tombé du ciel, et tout semblait prouver qu'il tenait à elle. Comment accorder le passé au présent? En changeant de tenue? Sans doute. Mais les habitudes, le psychisme, cela ne change pas du jour au lendemain!

Elle se rendait soudainement compte qu'elle était femme, qu'elle pouvait désirer un homme et vouloir lui plaire. D'ailleurs, il l'avait bien senti, Tony Russell, lorsqu'il l'avait prise dans ses bras.

« Oh! Tony... Comme je l'aime... »

Et cet élan amoureux était on ne peut plus vrai, on ne peut plus senti. Le problème, c'était que la jeune femme ne savait pas si c'était l'austère bibliothécaire ou bien la jeune fille sentimentale et versatile qui tenait à lui. Bref, elle avait subi tant de transformations, ces derniers jours, qu'elle avait l'impression que deux personnes très différentes vivaient en elle. Et ces deux personnes se déchiraient, se détruisaient mutuellement. Seul Tony Russell, par sa présence et sa force, parvenait à donner un semblant d'unité aux deux Annabella.

L'heure de la fermeture arriva enfin. Miss Annabella se mit au volant de sa petite auto avec une fièvre inaccoutumée. Elle avait hâte de regagner le havre de paix de sa maison de Peach Street. Là-bas, elle était encore la digne jeune personne qui assistait aux soirées de couture de la paroisse et cuisait de délicieux gâteaux que les dames charitables vendraient au profit des œuvres de bienfaisance. En fait, la vie paisible d'Harmony lui avait parfaitement convenu, jusqu'à l'arrivée de Tony.

Elle s'engagea dans l'allée qui menait à son domicile, coupa le contact et sortit de la voiture. Tout en verrouillant la portière, elle leva machinalement la tête : sur son perron, elle vit un homme...

– Bonsoir, fit-il en se redressant pour venir à sa rencontre.

– Bonsoir, Tony, répondit-elle d'une voix vibrante d'amour et d'appréhension.

Elle traversa la pelouse, le cœur en fête. Elle n'avait qu'une envie : se ruer contre cet homme fort et oublier ses dédoublements de personnalité. Car il comprenait, lui; et il l'apaisait. D'ailleurs, ne lisait-elle pas la même passion, au fond de ses yeux?

– Je t'ai apporté quelque chose...

Annabella battit des cils et regarda ce qu'il lui tendait. Il s'agissait d'un ravissant bouquet de violettes de Toulouse! Quelle pensée délicate! Émue aux larmes, elle prit les fleurs et y enfouit son petit nez parsemé de taches de rousseur. Ça sentait bon... Jamais présent ne lui avait fait plaisir à ce point.

Bouleversée, elle éclata en sanglots.

Tony était perplexe. Il avait voulu lui montrer qu'il comprenait son amour pour ces fleurettes délicates et voilà qu'elle se mettait à pleurer!

– Je ne voulais pas te faire du mal, bredouilla-t-il.

Annabella se cacha le visage dans les mains et secoua la tête.

– Rentrons, tu veux? dit-il.

Elle ouvrit la porte tant bien que mal et pénétra dans le vestibule, Tony sur les talons. Puis elle courut dans le salon et s'effondra sur le canapé où elle sanglota de plus belle. Médusé, Tony lui prit le bouquet des mains, le posa sur la table et l'attira contre lui, attendant que l'orage passe.

Quand elle redressa la tête, il lui tendit un mouchoir.

– Je suis désolée, Tony. Tu es trop gentil...

– Dis-moi, Annabella... Qu'est-ce qui te fait de la peine?

– Rien, tout... Je ne sais pas moi-même.

– C'est parce que toute la ville jase à notre sujet? Ne t'inquiète pas, ils n'ont pas grand-chose d'autre à faire que de potiner. C'est d'ailleurs pour cela que je ne suis pas venu te rendre visite, à la bibliothèque, aujourd'hui. Je savais qu'on nous surveillait. Mais tu ne devrais pas te laisser affecter pareillement.

– Ce n'est pas ça...

– Regarde-moi.

– Non.

– Tu as de très beaux cheveux, Annabella, mais j'aimerais autant que tu me regardes en face. Ça rendrait les explications plus faciles.

– Bon...
– Tu n'aimes plus les violettes?
La jeune femme redressa brusquement la tête et dévisagea Tony de ses grands yeux tristes.
– J'adore les violettes, à tel point que je me suis sentie bouleversée que tu aies pensé à m'en porter. Je ne t'ai même pas remercié. Je m'en veux...
– Ce n'est vraiment pas nécessaire. Raconte-moi plutôt ce qui te fait pleurer.
Ses mains se crispèrent sur ses genoux et Annabella baissa le nez, incapable de le regarder en face.
– C'est tout et rien... Je ne sais plus où j'en suis...
– Raconte-moi... Peut-être que je pourrai t'aider, te soulager, que sais-je?
– Tu pourrais m'aider? fit-elle en levant la tête.
– Mais oui, t'aider. On arrivera bien à s'en sortir, si tu t'expliques.
– Je suis très contente de te voir mais je ne peux m'empêcher de pleurer. Tu y comprends quelque chose, toi?
– Bien sûr, parce que lorsque tu es triste, je suis triste et lorsque tu es heureuse, je me sens tout joyeux, moi aussi. Mais ce n'est pas une raison : il faut que nous nous sortions de notre tristesse ensemble.
– Ensemble, pour un temps.
– Tu dis cela parce que je suis en vacances? Justement, profitons-en, le temps presse. Il faut nous entendre rapidement. Vas-y. N'hésite pas à te confier. Tu vois bien que je comprends.
– Oui. Eh bien, vois-tu, je ne sais pas qui je suis ni où j'en suis.

– Mais encore?

– Plus précisément, je ne comprends pas pourquoi aujourd'hui, j'ai mis cette robe que tu as choisie.

– Nous l'avons choisie ensemble, Annabella, et sache que si tu n'avais pas mis de robe du tout, tu aurais eu des ennuis, à la bibliothèque.

– Évidemment, bougonna-t-elle, à demi contrariée. Une tasse de thé, ça te dirait? On pourrait dîner, par la même occasion. J'ai faim, pas toi?

– Écoute, Annabella! se récria Tony en bondissant à sa suite vers la cuisine. Si tu ne veux pas me raconter ce qui te tourmente, j'aurai du mal à t'aider.

Annabella remplit d'eau la bouilloire et la mit sur le fourneau.

– Ne t'en fais pas; ça va déjà mieux. Tu restes dîner?

– Si tu n'y vois pas d'inconvénient, ça me ferait plaisir, oui. Mais pourquoi es-tu malheureuse?

Annabella sortit deux tranches de faux filet du congélateur.

– J'agis de façon bizarre et cela me perturbe. Je ne comprends pas bien pourquoi j'agis ainsi.

« Mais bien sûr! se dit Tony. Elle ne sait pas si c'est pour elle ou bien pour mes beaux yeux qu'elle se transforme, qu'elle met ses jolies robes. Je la fais changer trop vite et je la comprends trop bien, voilà ce qui la perturbe. »

Tony la suivait des yeux, tandis qu'elle mettait la viande à décongeler dans un petit four à microondes; après quoi elle alluma le gril de la cuisinière et les y enfourna. Quand elle sortit les ingrédients pour préparer une salade mixte, il intervint :

– Je m'en charge! Les salades, je ne connais que ça.

– Si tu veux. Pendant ce temps, je vais me chercher une aspirine. Ça me rendra un peu plus sociable. Les saladiers et les assiettes sont dans le placard.

« Ce soir, on improvise! » songeait Tony, qui n'avait jamais préparé de salade de sa vie. Mais ce ne devait pas être très compliqué. Hacher la laitue, les tomates et l'échalote, y ajouter le thon et les câpres, quoi de plus simple? L'essentiel, c'était de ne pas quitter Annabella d'une semelle. Elle revint très vite et retourna la viande sous le gril puis jeta un coup d'œil à la mixture que préparait Tony.

– Ça m'a l'air de prendre tournure, ta salade.

– Bien sûr. Je me conforme à la recette qui fait fureur chez les Russell depuis deux cents ans. Salade du chef, tu connais.

– Oui, quand j'en vois une. Mais je ne savais pas qu'on coupait les morceaux aussi gros. Chez moi, on les hachait, plutôt que de les couper tout bonnement en quatre!

– C'est la mode d'Harmony. A Tulsa, bien sûr...

– A Tulsa ou ailleurs, on hache tout ça menu, monsieur le cuisinier du dimanche! Ah, tu me feras toujours rire...

– Eh bien tant mieux, c'était le but de la manœuvre. Mais madame est une fine mouche, elle a tout compris!

Annabella ne put se retenir de rire. C'était si bon, après les larmes! Et Tony était tellement gentil... Il l'aidait à oublier ses peines. A oublier de penser tout court.

– Ton rire, c'est comme le chant des anges, s'écria-t-il, envoûté. Viens près de moi, Annabella. Et permets-moi de t'embrasser. Viens, viens...

Elle s'approcha donc.

Les bras se refermèrent tendrement tandis que la bouche de Tony venait conquérir la sienne. Elle se serra contre lui et se laissa pénétrer par le flot de sensations délectables qui la submergeaient. Tony explorait de ses mains avides le corps de sa partenaire et leurs bouches s'affolèrent lorsqu'il écarta un peu les jambes pour mieux épouser les courbes gracieuses qui s'offraient. Et Tony sentit que cette fois, il n'aurait plus la force de s'éloigner.

– Tony... Le repas est en train de brûler...

– Laisse-le brûler... Quoi? Non, tu as raison, il faut les sortir du four.

Il se détacha d'elle et, d'une torsion du buste, atteignit la cuisinière qu'il ouvrit.

– Mais non, ça n'est pas encore carbonisé. La viande est même presque à point. Mais il était temps, tu as raison.

Annabella disposa ensuite les faux-filets sur une assiette, puis la salade sur la table. Lorsqu'elle leva les yeux, elle vit le désir noyer les iris de Tony. Son cœur s'affola dans sa poitrine. Ils avaient terriblement envie l'un de l'autre et s'acharnaient à empêcher que leurs étreintes se concrétisent... Quelle torture!

– Mieux vaut manger tant que c'est... chaud, déclara Tony en toussotant pour se donner une contenance.

Tout en lui passant les plats, la jeune femme s'efforçait de ne pas le toucher : au moindre effleurement, elle le savait, ils oublieraient définitivement le dîner.

Et après le repas, ils s'installèrent dans le salon.

– Tu veux de l'eau de vie de mûres? demanda Annabella en évitant soigneusement de le regarder. J'ai retrouvé la bouteille au fond d'un placard. Elle date du temps de tante Bessie.

– Je veux bien, si tu en prends aussi.

– Entendu. Par curiosité alors...

La jeune femme versa deux doigts d'alcool dans deux petits verres en cristal et rejoignit Tony sur le canapé. Celui-ci leva son verre.

– A ta santé, Miss Annabella.

– Merci. Bouh! C'est fort, s'écria-t-elle tandis que le sang lui montait à la tête.

– C'est fort, en effet, sourit Tony.

Mais lorsqu'il eut posé son verre sur la table et lorsqu'il plongea son regard dans celui de sa compagne, Tony Russell ne riait plus du tout.

– Annabella, j'ai trop envie de t'embrasser... Mais il me faut être honnête : si je t'embrasse, je risque de ne pas m'arrêter là. J'ai trop envie de toi. Aussi, mieux vaut ne rien faire du tout. Ou peut-être si : nous pourrions jouer aux cartes.

– Je...

– Il faut toutefois que tu saches une chose, avant de porter les cartes : Annabella, je t'aime.

C'est l'évidence même et je ne m'en cache pas. Je t'aime, voilà.

Un instant, Annabella eut le sentiment que Tony s'adressait à quelqu'un d'autre qu'elle. Et puis elle dut admettre que ces paroles lui étaient réellement destinées. Une sorte de vertige la prit alors; les murs semblèrent reculer dans une brume lumineuse où Tony se dressa, de la tendresse et du désir plein les yeux.

Elle posa son verre et balbutia :

– Je ne sais pas jouer. Mais... tu m'aimes?

– Oui, je t'aime.

– Oh, Tony, je t'en prie, embrasse-moi... Tiens-moi contre toi.

– Tu ne comprends donc pas, ma chérie, que si je te touche, ce sera pour aller jusqu'au bout?

– Si, je comprends. Et j'ai envie que tu ailles jusqu'au bout. Que nous passions la nuit ensemble.

– Annabella...

– Tu sais que je ne suis pas très experte et donc que je ne serai pas forcément extraordinaire, mais j'en ai très envie.

– En es-tu certaine?

– Jamais je ne le regretterai, je te le promets. Et je t'en supplie, embrasse-moi avant que je m'évanouisse.

Il la saisit à bras-le-corps et couvrit sa gorge et son cou tendre de baisers fougueux. Quand elle sentit ses lèvres sur sa bouche, Annabella lui noua les bras autour du cou et s'abandonna contre lui. Et leur étreinte attisa dangereusement le feu qui les dévorait.

– Est-ce que tu as peur? lui murmura-t-il.
– De toi, non. De ne pas te plaire, oui.
– Ne t'inquiète pas, tu me plais même lorsque tu restes immobile, lorsque tu es toi-même. D'ailleurs, nous ne passons pas un examen : nous allons nous aimer et il n'y a rien de plus beau au monde que cet acte intime. Viens, Annabella.
– Oui, fit-elle, sur un souffle.
Et ils se retrouvèrent dans la chambre qui baigna bientôt dans la douce lueur rosée de la lampe de chevet. Tony eut un sourire d'attendrissement en voyant le dessus-de-lit orné de violettes. Il le tira, ainsi que les draps bien repassés et puis se retourna vers Annabella. Elle le regardait, les yeux pleins d'effroi.
– Je ne sais pas comment m'y prendre, Tony. Je me sens si gauche... Il nous faut nous déshabiller et c'est...
– Détends-toi, fit-il en la prenant dans ses bras. Tout va bien. On n'a pas besoin de se presser ni de réfléchir. Et j'aime ta candeur, Annabella; elle m'est infiniment précieuse. Mais non, tu n'es pas gauche. Et s'il se trouve que je te choque, dis-le, nous en discuterons. Tu veux?
Elle hocha la tête, tout contre son cou solide qui sentait encore l'eau de toilette. Il l'embrassa et, dans un même élan, la robe de la jeune femme glissait le long de son corps et tombait souplement sur ses pieds nus. Comme mus par une volonté indépendante, elle sentit ses doigts déboutonner la chemise de Tony. Dans la brume du désir qui les rongeait, les vêtements semblèrent s'évaporer pour les laisser nus, face à face.

– Tony..., que tu es beau... Ton corps est magnifique, fit-elle en le contemplant, émerveillée.

– C'est toi qui es magnifique, et tu te rends compte du désir que m'inspire ton corps. Mais rassure-toi, nous avons le temps.

Il la souleva dans ses bras et, lui donnant un baiser, il la déposa sur le lit où il s'étendit, lui aussi. Il joua avec les beaux cheveux épandus sur l'oreiller, attendant que l'inquiétude disparaisse dans le regard de la jeune femme.

– Tu sais, je ne savais pas que ce serait ce soir que nous nous aimerions, Annabella. Mais puisque cet instant est venu, je vais faire en sorte que tu le goûtes autant que moi. Je t'aime.

– Aime-moi, Tony. Montre-moi...

Les mains de l'homme prenaient tendrement possession de ses seins, de ses hanches, l'enflammant dans leur course furtive. Annabella en rêvait depuis si longtemps qu'elle se sentait déjà comblée. Et lorsque sa bouche se substitua à ses doigts experts, elle poussa un soupir de pure extase. On lui mordillait le bout des seins, tour à tour, jusqu'à ce que le plaisir soit insupportable. Du fond de ses entrailles lui répondait une sourde palpitation; elle crut qu'une coulée de lave lui tordait les reins, montant jusqu'au plexus, gagnant la gorge. Et lorsqu'un gémissement lancinant lui échappa, elle ne s'en rendit pas réellement compte. L'homme poursuivait, la caressait, la palpait, la touchait sans relâche, attendant qu'elle soit prête.

– Tony, je t'en supplie, c'est presque insoutenable...

– Je t'aime, Annabella. J'aime ton corps, laisse-moi jouer avec ton désir.

– Je me sens toute drôle, et pourtant c'est extraordinaire.

A présent, elle haletait, touchée en ses zones vulnérables. Tony perçut à quel point elle le désirait. Aussi voulut-il la prévenir, encore une fois, pour qu'elle ne s'affole pas :

– Tu sais, ma chérie, les premiers temps, ce n'est pas toujours extraordinaire. Mais je vais essayer de ne pas te faire souffrir. Plus tard, je t'assure...

– Où trouves-tu la force de parler autant...?

– Peut-être parce que je suis très nerveux et que...

Elle l'attira à elle et Tony ne put que s'enfouir au creux de son corps, lentement, délicatement. La femme qu'il aimait s'épanouissait peu à peu et lui livrait son secret. Elle le recevait, selon le rythme qu'il lui imprimait afin de le suivre au pays du plaisir promis. Elle se sentait atteindre une plénitude insoupçonnée tandis qu'une myriade de sensations se disputaient son corps.

– Viens, ma chérie. Viens...

Et elle se laissa emporter, oubliant tout, lâchant la bride.

– Tony!

Un soupir guttural s'échappa de son torse où perlait la transpiration et il la rejoignit, cherchant ses lèvres et murmurant sans cesse son nom.

Puis il retomba à son côté, le visage enfoui dans sa chevelure somptueuse. Annabella prit contre son sein celui qui venait de la révéler à elle-même, incapable de le laisser s'échapper. Un doux sourire lui incurva les lèvres et elle poussa un petit soupir de personne heureuse.

– Je ne suis pas trop lourd? s'inquiéta-t-il, la voix endormie.

– Non, mon chéri. Reste. Je suis comblée, tu sais...

– Et moi je suis le plus heureux des hommes.

Il finit par basculer sur le dos, l'attirant contre lui. La sentant mutine, il l'avertit :

– Attention, Annabella, ce que tu es en train de faire est dangereux. Tu ne crois pas que tu mérites un peu de repos?

– Oui, d'ailleurs, je me sens lourde, comme si je ne devais jamais plus pouvoir me relever. Ce n'est pas désagréable.

– Dodo, mon amour, murmura Tony en lui embrassant le front.

Et ils s'endormirent, dans la chaleur de leur amour.

9

A minuit, Tony se réveilla sous la caresse fugace des doigts qui lui parcouraient le torse. Il ouvrit et referma les yeux à plusieurs reprises, comme pour en ôter le sommeil et rit doucement.

– Tu voulais quelque chose...?

– Oui, toi.

Annabella avait les cheveux dans tous les sens et le sommeil lui avait rosi les joues. Ils n'avaient pas songé à éteindre et la lueur de la lampe donnait à son visage la finesse d'une porcelaine.

– Aime-moi, demanda-t-elle.

Et ses mains glissèrent du torse aux flancs puis aux reins solides de celui qu'elle désirait. Elle souleva les hanches de façon si suggestive que Tony gémit.

– Qu'est-ce que tu me...?

– Aime-moi, chéri.

Que faire d'autre que de se rendre à ses petites mains qui l'asticotaient sans aucune pudeur, l'empêchant de cacher son désir? Et, tout en se recommandant la lenteur et la délicatesse, il se lança furieusement à l'assaut de sa tendre et sensuelle compagne. Très impudique cette fois, Annabella noua ses jambes aux siennes et s'arrima à lui, tandis qu'un petit bruit sourd montait de sa gorge. Amoureuse et frénétique, leur danse les propulsa toujours plus haut, toujours plus loin. Jusqu'à ce qu'elle atteigne le sommet du plaisir qui se prolongea encore, tel un point d'orgue, lorsqu'elle sentit que son compagnon la rejoignait en criant son nom.

– Je t'aime presque trop, ma chérie, murmura-t-il lorsqu'il eut repris son souffle. Tu apprends si vite... Je ne pourrai plus me passer de toi.

– Tony, moi non plus parce que je t'aime.

– Vrai? Tu m'aimes? s'étonna-t-il en se dressant vaille que vaille sur un coude. Tu m'aimes vraiment, Annabella?

– Oui, Tony.

– Dans ce cas, ne prends pas cet air triste. Si tu savais ce que je suis content! J'avais l'espoir que tu m'aimerais un jour et ce jour est arrivé : tu me l'as dit, Annabella. A présent, rien n'entrave plus notre route.

– Que veux-tu dire?

– Eh bien... Tu vis ici, à Harmony; moi à New York. Il va falloir discuter de ce problème mais rassure-toi : nous trouverons la réponse. Et ce soir, je vais te laisser finir la nuit toute seule.

– Tony! Tu pars?

– Ce n'est pas par plaisir ni pour te faire souffrir. Mais tu sais très bien que si on me voit sortir de chez toi, à l'aube, la rumeur se répandra comme une traînée de poudre. Je ne désire pas que tu fasses encore l'objet de tous les cancans, ça suffit comme cela. Tu pourras te rendormir, si je m'en vais?

– Oui, j'ai déjà sommeil.

Il l'embrassa de tout son cœur et se glissa hors du lit. Une fois habillé, il se pencha encore sur elle et tous deux échangèrent des mots d'amour.

– Je veux que tu m'épouses, Annabella; que tu sois ma femme et la mère de mes enfants.

Et Tony la laissa sur ces paroles enchanteresses. Comblée, elle se rendormit en serrant sur son cœur l'oreiller où flottait encore son odeur.

A dix heures, le lendemain matin, Tony eut Houston Tyler au téléphone. Son ami lui annonça que les cadres supérieurs de Saint-John Enterprise étaient bel et bien intéressés par le *Cessna.* Neuf, l'avion aurait valu environ trente mille dollars et, à condition qu'il soit en bon état, ils en offraient vingt mille.

– Le marché est honnête, approuva Tony. Une vraie petite merveille de machine volante: dommage qu'il ne soit pas tout neuf.

– Il y a un os, Tony: ces hommes sont coincés ici pour une histoire de fusion entre sociétés un peu délicate. Il leur est impossible de se déplacer jusqu'à Harmony pour tester le *Cessna.* Tu peux patienter un peu et leur retenir l'avion?

– Bien sûr, je le leur réserve sans problème. J'ai même mieux à proposer: je peux vous amener l'avion à New York où ils l'essayeront quand ils auront un moment.

– N'oublie pas que tu es en vacances, Tony. Rien ne t'oblige à te déplacer.

– Si, justement...

– Ça n'a rien à voir avec l'avion, pas vrai? C'est la dame de tes pensées...?

– Exact.

– Tu as décidé de repartir? De la quitter?

– Non, mais je dois le faire. Je l'aime et elle m'aime, mais pour certaines raisons que je t'expliquerai, il vaut mieux se séparer pour un temps. Elle a besoin de se retrouver.

– Je ne comprends pas... Puisque vous vous aimez...

– Je te le répète, c'est un peu compliqué.

– Tu ne voudrais pas en parler avec Noëlle? Les femmes se comprennent, entre elles, au moins. Chaque fois que Julie pleure, Noëlle devine ce qu'elle a, alors que moi, le moindre gargouillis me fait fuir. Ah! les femmes..., elles sont étonnantes. Donc, tu penses qu'elle pourrait venir à ton aide?

– Si jamais Noëlle apprend ce que j'ai fait, elle me tordra le cou. Je peux te l'avouer à toi : j'ai joué les super mâles conquérants et relax. A tel point que je risque d'y perdre Annabella.

– A ce point là?

– Oui. Tu vois, il vaut mieux que je rentre... après avoir eu une petite conversation avec Annabella, s'entend. Et dire que je ne sais même pas comment je vais m'y prendre pour lui demander de décider de certaines choses pendant mon absence... Il vaudrait même mieux que je me taise.

– Compliqué, ton histoire.
– Oui, très compliqué. Je t'appelle dès que je suis à New York.
– Je te mets une bonne bouteille de whisky au frais.
– Bonne idée. J'en aurai besoin, Houston.

Annabella s'excusa auprès de Mrs Perdy et disparut dans son bureau. Elle s'assit et se massa le front du bout des doigts, comme pour mettre de l'ordre dans les propos confus qui s'agitaient dans son cerveau. Comment dirait-elle à l'homme qu'elle aimait qu'elle avait besoin de se retrouver seule, de se séparer de lui un moment et de faire le bilan? N'allait-elle pas le blesser, perdre son amour, peut-être?

« Il ne va pas comprendre, lui qui me propose le mariage et qui me demande d'y réfléchir. Il envisage l'avenir avec moi, et moi je lui demande de rester seule! Je risque de donner l'impression que j'ai de sérieux problèmes d'identité. C'est affreux... »

– Annabella?

La jeune femme sursauta. Levant les yeux, elle vit Tony, planté sur le seuil de la pièce.

« Au secours! Je ne suis pas prête. »

– Annabella, il faut que je te parle. Je peux m'asseoir? Mrs Perdy se charge de te remplacer.

Et il s'installa sur une chaise, face à elle. Il y eut un instant d'intense émotion. Aucun des deux n'avait envie de perdre l'autre, et pourtant...

– Comment ça va, Annabella?

– Bien, merci.

– Bon.

Il eut envie de lui chanter sa beauté, de lui déclarer sa passion mais il ne fallait pas faire semblant de remarquer son apparence extérieure.

« Il a dû noter que j'avais les cheveux dénoués et que j'inaugurais la robe orange, songeait la jeune femme. Je le lis dans son regard et maintenant, il va me le dire. »

– C'est au sujet du *Cessna*.

Annabella le fixa, les yeux ronds.

– Pardon?

– Je t'avais parlé de deux éventuels acheteurs, pour ton avion. Ils sont toujours intéressés mais comme ils ne peuvent quitter New York, je...

Allait-il oser lui dire qu'il partait?

– ... Je le leur livrerai moi-même.

– Tu t'en vas? murmura-t-elle, incrédule.

Il se cala plus confortablement sur sa chaise et se croisa les jambes et les bras.

– Je ne tiens pas à manquer la vente. Et puis, comment résister au plaisir de piloter cette superbe machine à travers la moitié des États-Unis? Si le marché se conclut, tu y gagneras vingt mille dollars. Pas mal, non?

– Tu t'en vas? répéta-t-elle.

– Je reviendrai... un jour, dit-il en haussant les épaules. Je te rapporterai les papiers pour la signature ainsi que le chèque. Je ne sais pas exactement combien de temps durera mon absence et je n'ai aucun moyen de le savoir.

– Je vois...

Mais elle ne voyait rien du tout. Comment cet homme qui venait de la demander en mariage après s'être uni à elle pouvait-il l'abandonner au profit d'un petit avion qui lui semblait irrésistible? Avait-il joué la comédie, le temps des vacances? N'avait-il cherché à déniaiser la petite bibliothécaire timide que pour la laisser tomber avec panache, au moment précis où elle s'accrochait à lui?

Tony se donna une tape sur la cuisse et il se leva.

– Bien, il faut que j'y aille; les cieux m'appellent. Nous... disons... nous reparlerons de tout cela à mon retour. Tu sais bien... de certain sujet qui nous intéresse. Entendu?

– Entendu, répéta-t-elle mécaniquement tout en le fixant, les yeux ronds.

– Tu prendras le temps d'y réfléchir, hein?

– Bien sûr.

– Bon...

Il lui effleura la tête des lèvres et sur un « A bientôt! » il disparut. Et le cœur d'Annabella s'emballa tandis qu'une souffrance insoutenable la déchirait.

Il était parti.

Elle se retrouvait seule, dans sa petite bourgade provinciale, après que le voyageur l'eut fait rêver à coup de belles promesses. Tony ne prendrait sûrement pas la peine de repasser : il lui enverrait les documents et le chèque.

Et Annabella qui l'aimait follement, qui s'était donnée à lui corps et cœur!

Elle se leva, claqua la porte et se mit à marmonner entre ses dents, telle une Médée en furie :

– Vil séducteur, profiteur, minable! Si tu crois que tu vas m'arracher une larme...! Tu m'as donné une bonne leçon et pour te remercier, je te tuerais volontiers de mes propres mains. Non, je ne pleurerai pas!

Hélas, elle avait beau assener des coups de poing vengeurs sur le bureau, cela ne l'empêcha pas de fondre en larmes qu'elle essuyait à mesure d'un doigt rageur. Finalement, elle se reprit et réussit à sortir dignement.

– Tout va bien, Miss Annabella? s'inquiéta Mrs Perdy.

– Vous pouvez m'appeler Annabella. A partir de maintenant, je suis Annabella pour tout le monde.

– C'est plus amical, je trouve. Et vous avez encore sorti une très jolie robe...

– Oui, mais je n'ai pas encore décidé si j'allais la garder. J'ai acheté en vitesse des robes, sans prendre le temps de réfléchir. Mais maintenant je vais le prendre, et peut-être que ces vêtements plus à la page vont aller valser par la fenêtre, acheva-t-elle sur un sifflement de mauvais augure.

Annabella était satisfaite de sa journée : elle avait commencé par s'excuser auprès de Ralph Newberry puis lui avait porté une jolie boîte de Kleenex à sa table, tout au fond de la bibliothèque. Ensuite, elle avait appelé Esther Sue pour l'avertir qu'elle achèterait des caramels au lieu de confectionner des gâteaux pour la vente de charité. Elle s'était justifiée en annonçant que le temps était aux changements... et donc qu'Esther Sue pouvait l'appeler Annabella.

Après la fermeture, Annabella était allée chez le coiffeur qui lui avait fait une coupe très fraîche, ce qui donnait plus de gonflant et de lustre à sa belle chevelure mi-longue. Enfin, elle rentra. Le plus dur, ce fut d'oublier la douleur sourde qui lui serrait le cœur, et qui se raviva lorsqu'elle aperçut le petit bouquet de violettes, dans un vase, au salon. Elle pleura un bon coup puis s'activa à des rangements divers, bien décidée à ne pas se coucher avant onze heures.

– Et qu'on ne prétende pas que j'adopte la personnalité de quelqu'un d'autre! gronda-t-elle. Ça me plaît à moi, de changer.

L'instant de vérité arriva, le lendemain matin, quand elle se retrouva plantée devant sa penderie bourrée de robes neuves d'un côté, de tenues tristes de l'autre.

Alors, emplie d'un brusque sentiment de paix, de calme intérieur, comme si elle retournait à la maison après une longue absence – et cette maison, c'était son être profond, c'était elle-même – Annabella sortit la robe rayée noir et blanc – celle qui la faisait ressembler à un zèbre, avait-elle plaisanté. Elle l'enfila et, ô surprise, au lieu d'un zèbre, une ravissante jeune personne un peu excentrique lui apparut.

Avant de repartir travailler, elle s'arrêta devant le miroir et lança à son reflet :

– Tu vois, Annabella, ça t'a pris un moment, mais tu as fini par rejoindre les temps modernes! Et merci à toi, Tony Russell, sale lâcheur! Je trouverai bien un moyen de cesser de t'aimer, un de ces jours; mais en attendant, merci de m'avoir montré que je pouvais être... moi-même.

Une semaine. Quinze jours s'écoulèrent.

Annabella fit don de son ancienne garde-robe aux bonnes œuvres et retourna à Tulsa pour refaire le plein. Cette fois, elle n'eut aucun mal à s'offrir des vêtements multicolores. Puis elle déjeuna avec Clara et Susie, les deux ménagères qui aimaient fantasmer. Enfin, elle démissionna du club de couture et gagna les rangs du club de danse.

Au lieu de se faire la leçon, elle s'abandonnait chaque soir, au coucher, aux souvenirs délicieux de sa relation avec Tony. Après tout, elle avait emmagasiné des souvenirs dans ce but, non?

Mais au bout de trois semaines, l'indignation la gagna. Tony l'avait laissée en plan, soi-disant pour vendre le *Cessna*. Et l'argent, alors? Il mettait bien longtemps à lui parvenir! Annabella ne se résolvait pas à soupçonner le fils du couple adorable et respectable qu'étaient Mary et Mike Russell. Pourtant, il n'y avait encore ni argent, ni papiers.

Une semaine passa encore jusqu'à ce qu'un beau jour, Annabella décroche le téléphone.

– Allô? Vous êtes bien en communication avec Saint-John Enterprise...

– Je souhaite parler à Tony Russell, s'il vous plaît.

– Tony...? Puis-je savoir qui est à l'appareil?

– Annabella Abraham, annonça la jeune femme en relevant le menton.

– Dans ce cas, vous pouvez joindre M. Russell au numéro suivant... Vous avez de quoi écrire?

Un instant plus tard, Annabella composait le nouveau numéro.

– Allô? fit une voix de femme.

Ce qui plongea Annabella dans le désespoir. Tony avait eu tôt fait de lui trouver une remplaçante!

– Je voudrais parler à Tony Russell, s'il vous plaît.

– De la part de qui?

– Annabella Abraham.

– Vous en avez mis, du temps, marmonna la voix.

– Comment?

– Rien, rien, Annabella. Vous me permettez de vous appeler Annabella? Bon. J'ai l'impression de vous connaître fort bien. Je suis Noëlle Saint-John-Tyler. Tony est un de nos amis, à Houston et moi.

– Ah bon...

– Je suis si contente d'avoir enfin l'occasion de vous parler!

Annabella n'y comprenait plus rien.

– Tony est-il près de vous? fit-elle, décidée à en finir, et vite.

– Non, il est parti à la pêche. Vous êtes ici dans notre île, à Houston et moi. Tony adore la pêche... Puis-je lui transmettre un message?

– Oui, si vous voulez bien. Pourriez-vous lui signaler que j'ai appelé au sujet du règlement et des documents concernant la vente de mon avion. Puisqu'il a le temps d'aller à la pêche, je suppose qu'il a le temps, aussi, de régler les affaires en cours.

– Je suis parfaitement d'accord avec vous sur ce point, renchérit Noëlle. Je préviendrai Tony dès son retour.

– Merci, madame Tyler.

– Je vous en prie..., appelez-moi Noëlle.

– Merci, Noëlle. Au revoir.

Noëlle raccrocha et se tourna, radieuse, vers Houston et Tony, à qui elle annonça:

– Mes petits chéris, on a gagné!

Tony, l'air soucieux, se passa la main sur la nuque.

– Les dés sont jetés. J'espère que tu sais ce que tu fais, Noëlle.

– Fais-moi confiance, Tony chou. La psychologie féminine, c'est mon rayon.

– Tu peux la croire, renchérit Houston. Elle se connaît même parfaitement elle-même, ce qui est le plus difficile.

Noëlle éclata de rire et envoya un petit baiser du bout des doigts à son époux bien-aimé.

– Je constate en effet, qu'Annabella avait réellement besoin de ce temps de latence que tu lui as accordé, Tony. La difficulté, c'était de savoir à quel moment tu pourrais regagner Harmony. Et maintenant, plus de problème : Annabella te fait signe qu'elle a eu le temps de méditer et qu'il faut passer à autre chose! Tes calculs étaient justes.

– Oui... Elle a découvert celle qu'elle était réellement.

– Suspense... Suspense! Tu ne sais pas encore qui tu découvriras, mon vieux! Ce sera soit la jeune femme moderne, soit le petit moineau.

– Peu m'importe son aspect. Ce qui compte, c'est si elle m'aime ou pas. La véritable Annabella m'aime-t-elle ou non?

– Exact. Bonne chance, Tony, fit Noëlle.

– Et crois-moi, ça vaut la peine de le découvrir..., commenta Houston, l'air entendu.

– Oh! chéri! Comme c'est gentil de dire cela! s'écria Noëlle en sautant au cou de Houston.

10

DIEU que ses rêves étaient précis! Mais au lieu d'en avoir honte, Annabella cherchait à les prolonger. C'était tellement bon, de se sentir aimée et de se laisser caresser par un homme aussi viril que Tony... même si ce n'était qu'en songe.

Au matin, elle s'éveilla fraîche et dispose. Son subconscient avait eu sa dose de gros câlins; et son corps s'était reposé durant dix bonnes heures! Annabella décida donc de canaliser cette énergie en désherbant la plate-bande de géraniums, le long de la pelouse.

La jeune femme sortit de sa chambre après avoir pris un bon bain parfumé et enfilé pour la première fois un jean, des tennis et un tee-shirt. Tenue qui lui allait à ravir et lui donnait l'air d'une adolescente.

Elle enfila des gants de jardinage mouchetés de minuscules violettes et partit au jardin. A mesure que le tas de mauvaises herbes montait, les larmes coulaient sur les joues de la jeune femme qui revivait avec émotion le jour où elle s'était piqué un géranium rouge sur le sein; le premier baiser; la nuit d'amour, la présence rassurante et sensuelle de Tony, en un mot...

– Je me demande comment il a réagi, lorsque Noëlle Saint-John lui a annoncé mon coup de fil. Peut-être préfère-t-il aller pêcher que s'occuper de tout ce qui me concerne... Mais quand même! Cet argent m'appartient. Je ne vais pas l'encourager à jouer les truands. Je n'en ai pas le droit.

Une voiture passa dans la rue. Le cœur d'Annabella bondit. Mais non, inutile de regarder, ce ne pouvait être qu'un riverain. Tout de même, lorsque la portière claqua, elle redressa le buste et ses mains se figèrent.

Mais lorsqu'elle se retourna en entendant crisser les graviers, elle crut défaillir. Tony! Il était là, à présent, au milieu de la pelouse. Et lui aussi, il semblait pétrifié...

Non, Annabella n'avait rien d'un petit moineau tristounet. Elle était habillée comme une jeune et jolie étudiante, en jean et tee-shirt. Ainsi, la véritable Annabella était une femme moderne et pimpante. Et seules subsistaient de l'ancienne les violettes qui parsemaient ses gants de jardinage! Tony faillit en lâcher les paquets qu'il serrait dans ses bras.

Il ne comprit jamais où il trouva le courage d'ouvrir la bouche, tant l'émotion le submergeait :

– Je voudrais te parler, Annabella.

– Eh bien vas-y, parle.

– Tu ne préfères pas rentrer à l'intérieur, fit-il en jetant un coup d'œil aux maisons voisines.

– Pourquoi?

– Ce que j'ai à te dire est personnel.
– En fait, je suis très occupée, comme tu peux le constater. Le désherbage n'attend pas.
– Je n'en ai pas pour longtemps, s'il te plaît...
Annabella se releva lentement; elle avait très peur que ses genoux ne la trahissent. Mais non, tout alla bien. Elle le précéda donc au salon, sans prendre la peine d'ôter ses gants.
Tony posa ses paquets sur une chaise tout en notant qu'on avait notablement modifié la disposition des meubles.
– Je suppose qu'on t'a transmis mon message et que tu es venu régler cette question d'argent?
– Non. Enfin... oui, j'ai le chèque de vingt mille dollars, mais non, ce n'est pas tout. On peut s'asseoir?
– Non.
– Quel accueil..., grommela Tony entre ses dents.
– Allons, pressons, monsieur Russell. J'ai à faire, dit-elle d'une voix bourrue, alors qu'elle était près des larmes.
La situation était insoutenable; son cœur saignait. Il eût mieux valu que Tony s'en aille et qu'il ne revienne jamais. Et puis tout aussitôt, Annabella souhaita qu'il reste et ne la quitte plus: ce qui était du pareil au même puisque ces souhaits n'avaient rien de réel.
– Annabella, voyons, asseyons-nous.
– Bon, d'accord. Ce serait plus confortable, dit-elle en s'effondrant avec plaisir sur sa chaise à bascule.

Tony alla s'installer sur le divan et, posant les coudes sur ses genoux, il croisa les mains et regarda Annabella droit dans les yeux. Il avait parfaitement conscience que, d'ici trois minutes, son avenir serait joué.

– Je te dois des excuses, Annabella.

– Mais non, voyons. J'ai tout compris, notamment qu'en vacances, on s'autorise de petits flirts sans conséquences. Après quoi, on repart. Ça arrive tous les jours, ce genre de choses.

– Je ne te demande pas de m'excuser pour cela parce que ce que nous avons vécu n'avait rien d'une amourette de vacances. Compris? Et arrête un peu de fixer ton gant à violettes comme si tu ne l'avais jamais vu! Ce que j'ai à te dire mérite que tu m'écoutes.

La jeune femme redressa la tête.

– Mais dis donc, Tony! Il me semble que tu en prends bien à ton aise! Tu pourrais baisser un peu la voix, s'il te plaît?

– J'ai passé un mois épouvantable: tu m'as manqué, ton absence me faisait si mal que j'en rêvais la nuit. Et si j'en ai envie, je crierai, parce que tu as failli me rendre fou de douleur!

– Quoi? Comment? Qu'est-ce?

– Bon, je me calme, tu as raison... Annabella, écoute-moi, d'accord? Il fallait que je parte; il fallait te donner l'occasion de découvrir qui tu étais. J'avais tout compris, notamment que je risquais de t'avoir blessée en te propulsant à l'autre bout de toi, en t'encourageant à changer de personnalité. Je sentais ta souffrance, tes déchirements, parce que j'avais agi trop vite, sans te laisser le temps de choisir. Je me suis trompé, voilà pourquoi je te demande pardon.

– Mais je...

– Laisse-moi terminer. Je pensais, bien sûr, que si tu changeais, tu serais plus heureuse. Et de fait, tu me plaisais, et tu te plaisais, ainsi, à toi. Mais je t'entendais te plaindre, dire que tu ne savais plus qui tu étais... Il te fallait le temps de décider laquelle des deux Annabella tu voulais être. Je t'ai quittée, j'ai été très dur envers nous deux. Bref, je suppose que ton placard est rempli de jolies robes très gaies, non?

– En effet, murmura-t-elle.

– Donc, tu as choisi.

– Oui. Et je ne doute plus de moi-même.

– Je voudrais que tu me croies, Annabella, quand je te dis que je t'aime plus que la vie. J'ai follement espéré, durant ces quatre longues semaines, que celle que tu choisirais d'être, choisirait aussi de m'aimer. Peu m'importait celle que tu serais, dès l'instant que tu m'aimais. Vêtements, coiffure..., au diable tout cela! Je n'ai besoin que de ton amour. Et de ta main. Épouse-moi, Annabella; je t'en supplie, ne me force pas à vivre sans toi.

Quand il la vit, blême, les joues ruisselantes de larmes, il s'élança, courut la serrer dans ses bras. Sa tête agitée de sanglots se nicha au creux de son épaule robuste et Annabella lui dit:

– J'ai cru que tu m'avais quittée pour toujours. Tu as raison, je ne savais plus où j'en étais. Pourtant, chaque partie de moi-même t'aimait plus que tout. Ce qui m'effrayait, c'était que tu pourrais ne pas aimer l'ancienne Annabella, la bibliothécaire très classique. Quand tu as lâché la femme ancienne en même temps que la femme moderne, en me quittant, je me suis sentie perdue. Il m'a fallu un grand mois pour me retrouver. J'ai souffert, mais à présent je suis en paix; je suis moi-même. Merci, Tony.

– Alors, tu m'épouses?

– Oui. Mille fois oui. Moi aussi je te préfère à la solitude.

– Tu veux bien venir t'installer à New York? On s'achètera une maison, en dehors de la ville, et il y aura un jardin pour que notre enfant y joue. J'en ai parlé à Noëlle Saint-John et à Houston : je n'aurai plus à effectuer les vols long courrier. Ainsi, je ne serai jamais longtemps absent. On trouvera une jolie bibliothèque où tu pourras travailler et... D'accord?

– Oui, Tony, mon chéri.

Et leurs bouches s'unirent, leurs corps enfiévrés de désir et de nostalgie se pressèrent l'un contre l'autre pour mieux retrouver leurs courbes complémentaires.

– J'ai envie de toi, chérie.

– Oui, Tony. Tu m'as tant manqué...

– Attends, j'ai un cadeau!

Il la quitta un instant, courut à ses paquets et lui tendit une boîte oblongue. Annabella l'ouvrit et en sortit une robe en mousseline aux tons pastel.

– Une coupe classique et élégante, des couleurs

plutôt gaies : j'ai pensé qu'ainsi, quelle que tu sois, je ne risquais pas de te déplaire, tu ne risquais pas de me rejeter... expliqua Tony, tout intimidé.

– Ce sont les couleurs de l'arc-en-ciel, s'extasia-t-elle en serrant la délicate mousseline contre son buste.

– Les couleurs de l'Alliance, oui.

Et Tony vint à elle. Lentement, les yeux pleins d'amour, il lui ôta ses gants semés de violettes qu'elle avait oublié d'enlever. Il posa la robe couleur du temps, couleur d'amour éternel, sur le divan.

Puis, tendrement enlacés, se murmurant des paroles enflammées, ils s'avancèrent vers la chambre d'Annabella.

La petite maison de Peach Street se ramassa sur elle-même, comme pour protéger les amoureux qui s'unissaient sous son toit.

LA SAGA DELANEY

LES TROIS FRÈRES DE SHAMROCK

1. Mai 89, K. Hooper, *Rafe le Rebelle*
2. Mai 89, I. Johansen, *York l'Aventurier*
3. Mai 89, F. Preston, *Burt le Mystérieux*

LES DELANEY DE KILLARA

4. Septembre 89, K. Hooper, *Adélaïde l'Enchanteresse*
5. Octobre 89, I. Johansen, *Matilda l'Indomptable*
6. Novembre 89, F. Preston, *Sydney la Tentatrice*

LES ANNÉES DE GLOIRE

7. Décembre 89, I. Johansen, *L'orgueil des Delaney*
8. Janvier 90, I. Johansen, *La dynastie Delaney*
9. Février 90, K. Hooper, *Les flammes d'or*
10. Mars 90, I. Johansen, *Les foudres d'argent*
11. Avril 90, F. Preston, *Les feux de cuivre*
12. Mai 90, K. Hooper, *Caresse de velours*
13. Juin 90, I. Johansen, *Souffle de satin*
14. Juillet 90, F. Preston, *Orage de soie*

Nos trois parutions
de juillet 1989
à la

COLLECTION PASSION

No 224 *Avec deux bébés* par Barbara BOSWELL

Nick Tosca est le seul homme qui ait jamais compté pour Candice Flynn, son premier et unique amour, qu'elle a fui parce qu'il la troublait trop profondément. Quel choc de le rencontrer trois ans plus tard, avec... une petite fille dans les bras! Et quel choc, pour lui, de la retrouver un bébé pressé contre son cœur... Saura-t-il reconnaître que Candice a changé, qu'elle est devenue une femme accessible à l'amour, une femme dont le plus grand désir est de fonder une famille avec lui?

No 225 *Le destin de Flynn* par Patt BUCHEISTER

Héritier d'une île en même temps qu'un milliardaire, voilà qui bouleverse la paisible existence d'Automne. Surtout lorsque l'homme en question s'appelle Gary Flynn et représente tout ce que la jeune femme déteste. Gary, le play-boy, l'enfant gâté, revenu dans sa ville natale pour l'enterrement d'un merveilleux grand-père dont il ne s'est jamais occupé. Automne accueille Gary avec des mots durs sur les lèvres. Mais quand, à une haine féroce, vient se mêler l'amour, il ne reste qu'une seule issue pour un cœur fier : la guerre.

No 226 *Château de cartes* par Susan CROSE

Dans sa belle robe de mariée, Shana attend celui qu'elle aime, le beau Parker. Rien, croit-elle, ne s'oppose à leur bonheur. Quelle erreur! Un tragique accident survient, et le magnifique château de cartes s'écroule. Le réveil est pire encore. Braquant sur elle ses yeux bleus, Parker demande : « Qui êtes-vous? » Du courage, Shana n'en manque pas. Mais pourra-t-elle triompher? Il lui faut combattre Parker, dont l'orgueil est à vif et qui repousse son aide. Et voilà que surgit une inconnue, avec d'étranges revendications...

Nos trois parutions fin juillet 89 à la
COLLECTION PASSION

N° 227 *Strictement professionnel* par Linda CAJIO

L'intrépide Jessica Brannen adore faire des farces aux dépens de ses amis, jusqu'au jour où elle se trouve à la place du dindon. En se réveillant dans le lit de Nick Mikaris, elle mesure l'étendue du désastre. Comment persuader le séduisant architecte qu'elle n'est pas un papillon de la nuit? L'interdiction de flirter avec ses futurs employeurs figure en premier dans la liste de ses principes. Et elle sait que si Nick apprend son secret, il s'enfuira.

N° 228 *L'étranger au couffin* par Judy GILL

Un matin, en ouvrant sa porte, Elaina aura la plus belle surprise de son existence : un certain Brad Bradshaw se tient sur le seuil, un bébé à son cou. Sa visite n'est pas une erreur! Du jour au lendemain, Elaina se retrouve entre l'adorable Betsy et le jeune médecin. Et la présence de ces deux êtres va bouleverser d'un coup son travail et son cœur. Pour eux, elle jouera à la fois le rôle de la nourrice inexpérimentée et celui, plus exaltant encore, de la femme d'abord sur ses gardes mais bientôt comblée...

N° 229 *Le play-boy d'en face* par Barbara BOSWELL

Tara le fuit comme la peste, comme elle fuit tous les Rambo. Et pourtant, Jed Ramsey vient d'emménager au 16, Anémone Avenue, à Pittsburgh, Pennsylvannie, en face de chez elle, sur le même palier. Ils se connaissent plutôt bien : quatre de leurs frères et sœurs sont déjà mariés ensemble! Aussitôt, Tara songe à un vrai complot de famille : on ne rêve pour eux que mariage... Mais Jed s'en défie. Il n'aime que sa liberté, il n'abandonnerait pour rien au monde son personnage de bourreau des cœurs, de play-boy idéal, de vrai don Juan en Ferrari.

Nos trois parutions
fin juillet 89
au Club Passion

N° 49 *Pour l'amour de Lorna* par Sandra CHASTAIN

Lorna sait que la plupart des gens commettent des folies durant les mariages. Aussi, quand Tyler Winter la bouleverse avec son sourire, elle ne peut résister au besoin de se jeter dans ses bras, même si une femme libre, entourée d'une famille excentrique, ne peut pas appartenir à un séducteur en costume trois-pièces! Après de longues années consacrées aux autres, Lorna a peur de reconnaître qu'elle a besoin de quelqu'un.

N° 50 *Feu ardent* par Helen MITTERMEYER

Helen Blane se débat comme elle peut pour payer l'onéreux séjour de sa mère dans une clinique. Les hommes la laissent de glace... jusqu'au jour où un inconnu aux yeux d'émeraude lui propose un étrange marché : dix mille dollars pour un dîner en tête à tête. Proposition alléchante mais risquée. Caprice de milliardaire ou machination diabolique? Fascinée par Konrad Wendel, Helen succombe à la tentation...

N° 51 *Le papillon de cristal* par Elliott PICKART

Quand le colonel Mark Hampton débarque dans les montagnes enneigées du Montana pour une mission ultra-secrète, Eden Landry n'a qu'une envie : le fuir. Mais si l'uniforme qu'il porte a la couleur de ses cauchemars, la passion qu'il lui inspire la pousse à se réfugier dans ses bras... Jusqu'où les mènera leur périlleuse collaboration?

LA COMPOSITION, L'IMPRESSION ET LE BROCHAGE DE CE LIVRE
ONT ÉTÉ EFFECTUÉS PAR LA SOCIÉTÉ NOUVELLE FIRMIN-DIDOT
MESNIL-SUR-L'ESTRÉE
POUR LE COMPTE DES PRESSES DE LA CITÉ
LE 5 JUIN 1989

Imprimé en France
Dépôt légal : juillet 1989
N° d'impression : 11484